BOOSTKAZERNES

ERMELO, 1939

O p deze foto uit begin 1939 nadert de Jan van Schaffelaarkazerne in Ermelo haar voltooiing. Zij was een van de zestien infanteriekazernes - ook wel grensbataljonkazernes geheten - die op dat moment in het zuiden en oosten van het land werden gebouwd om de snelle uitbreiding van het leger op te vangen. Vanwege de haast die was geboden, was voor een universeel standaardtype gekozen, naar een ontwerp van de kapitein der Genie A.G.M. Boost. De kazernes worden daarom ook wel 'Boostkazernes' genoemd. Kenmerkend voor dit kazernetype is het poortgebouw, dat hier op de achtergrond zichtbaar is.

BARAKKENKAMP KATWIJK

Hoewel er in de jaren dertig veel legeringscapaciteit was bijgebouwd, moest de landmacht in de mobilisatietijd niettemin snel geïmproviseerde onderkomens realiseren om de vele opgeroepen soldaten een dak boven het hoofd te bieden. Daartoe verrezen her en der barakkenkampen, zoals het hier afgebeelde complex bij Katwijk aan Zee. In dit kamp werd een deel van de 4e Reserve Grenscompagnie gehuisvest. Weinig gemobiliseerde militairen zullen de luxe van alle dagen strand hebben gekend, maar je kunt je afvragen of dat gedurende de strenge winter van 1939-1940 zo'n groot genoegen is geweest. Het merendeel van de tijdens de mobilisatie gebouwde barakkenkampen werd in de oorlog weer afgebroken.

GRIENDTSVEEN, 1939

Voorlichtingsofficier J.D.S. Paters liet een kleine maar waardevolle negatief-collectie uit de mobilisatietijd na. Niet geheel zeker is of hij de foto's ook zelf maakte. Hierbij een beeld van de aanleg van het Defensiekanaal. Deze veertig kilometer lange antitankgracht – sinds 1963 Peelkanaal geheten – werd ten zuiden van Grave aangelegd als deel van de Peel-Raamstelling. Het diende tevens als afwateringskanaal. De totale stelling, die circa honderd kilometer lang was, omvatte tientallen kazematten. Het gebied kon deels onder water worden gezet om de vijandelijke opmars te belemmeren. De Duitse troepen wisten de Peel-Raamstelling in mei 1940 echter snel te doorbreken door de inzet van een pantsertrein. Restanten van de stelling hebben tegenwoordig de status van rijks-monument.

RIVIERKAZEMAT

In de sneeuw, net uit het zicht van een passerende trein, staat een korporaal van het Korps Politietroepen. Hij houdt de wacht bij een rivierkazemat in de buurt van de spoorbrug bij Deventer. In 1935 en 1936 waren bij alle belangrijke overgangen over de IJssel, het Maas-Waalkanaal en de Maas dit soort betonnen verdedigingswerken gebouwd, met als doel deze bruggen tegen een mogelijke verrassingsaanval – een zogeheten strategische overvalling – te beschermen. Beroepspersoneel, behorende tot de Politietroepen, droeg zorg voor de permanente bewaking van deze locaties. Het exemplaar op de foto is in 1981 gesloopt.

KOORNMARKTKAZERNE

De binnenplaats van de kazerne aan de Koornmarkt in Kampen tijdens de mobilisatie. Hier was destijds de School voor Reserve Officieren Infanterie (SROI) ondergebracht. Later, toen de SROI naar Harderwijk was verhuisd, was het pand in gebruik bij de 2e Centrale Opleiding Administratief Kader. In 1970 stootte de landmacht de kazerne af. De Koornmarktkazerne was niet als kazerne gebouwd. Het uit de 18e eeuw daterende pand had, voordat het een militaire bestemming kreeg, dienst gedaan als woonhuis, als 'instituut voor jongelingen' en als gymnasium. Tegenwoordig is in dit fraaie gebouw de Theologische Universiteit Kampen gevestigd.

ETAPPEN-VLEESWARENBEDRIJF

Het Etappen-Vleeswarenbedrijf, ondergebracht bij de firma Welling in Poeldijk. Om de hongerige magen van de gemobiliseerde militairen te voeden, sloot het Ministerie van Defensie in 1939 contracten met een groot aantal voedselproducerende bedrijven. Behalve het vleeswarenbedrijf ging het daarbij onder meer om slachterijen, vetsmelterijen, gistfabrieken en bakkerijen. Bij het bedrijf van Welling, dat van september 1939 tot mei 1940 uitsluitend aan de krijgsmacht leverde, werd vleesafval uit de slachterijen verwerkt tot worst voor op de boterham. In totaal resulteerde dat in 1.141.228 kilo worst, wat gelijk staat aan een worst met een lengte van 560,5 kilometer.

BOMBARDEMENT ALEXANDERKAZERNE

In de vroege ochtend van 10 mei 1940 werd de Haagse Nieuwe Alexanderkazerne door Duitse vliegtuigbommen getroffen. Hierbij kwamen 79 militairen
en ruim honderd paarden om. De jonge Hagenaar H.F. Gude maakte later op die
dag vanaf de openbare weg een van de weinige bekende foto's van de schade.

De kazerne was toentertijd nog zo goed als nieuw; op 2 september 1938 was de
'Alex' als onderdeel van een door de kapitein der Genie J. Kok ontworpen twee-
delig kazernecomplex aan de Waalsdorpervlakte in gebruik genomen door eenheden van de cavalerie. Het andere terrein op het complex was de Nieuwe
Frederikkazerne – afgekort tot de 'Freek' – die pas na 1940 gereedkwam.

GEALLIEERDE BEWEGWIJZERING

Tweetalige wegwijzers in Den Haag, kort na de bevrijding van de stad. Was gedurende de bezettingsjaren Duits naast Nederlands de voertaal in de bewegwijzering, na de komst van de geallieerden werden de Duitse aanduidingen verruild voor Engelstalige opschriften.

De Haagse kazernes werden na de bevrijding korte tijd gebruikt door Canadese militairen en door de Irenebrigade. De door de Duitsers gebouwde Clingendaalkazerne, nabij Wassenaar, werd op 10 juni 1948 omgedoopt tot Prinses Julianakazerne. In de daaropvolgende decennia was deze kazerne de thuisbasis van de bevelhebber der Landstrijdkrachten.

De oorlogshandelingen trokken een zware wissel op de militaire infrastructuur van Nederland. De Simon Stevinkazerne was pas in 1940 opgeleverd, maar raakte tijdens de oorlogshandelingen in 1944 en 1945 ernstig beschadigd. Blijkens deze foto uit april 1946 waren de herstelwerkzaamheden bijna een jaar na de bevrijding nog in volle gang. Op dat moment werd de kazerne al wel weer door landmachteenheden bewoond. Naar verluidt gebruikten de militairen een van de zwaarst vernielde gebouwen enige tijd als geïmproviseerde stormbaan. In 1951 werd de 'Stevin' het domein van de verbindingsdienst. In december 2010 sloot deze kazerne voorgoed haar poorten.

LEGERPLAATS NUNSPEET

De sterke uitbreiding van het leger in de beginfase van de Koude Oorlog bracht een grote behoefte aan nieuwe kazernes teweeg. Daarom werden aan het begin van de jaren vijftig zes moderne legerplaatsen gebouwd, gelegen in Ermelo, 't Harde, Nunspeet, Ossendrecht, Schaarsbergen en Steenwijkerwold. De foto toont de Legerplaats Nunspeet op de dag van de opening, 10 juli 1952. De legerplaats huisvestte ruim drieduizend militairen. In 1973 werd het complex omgedoopt tot Generaal Winkelmankazerne. Na de val van de Berlijnse muur en de opschorting van de opkomstplicht nam de behoefte aan legeringscapaciteit af. Eind 2001 verlieten de laatste militairen de kazerne, waarna Defensie het gesaneerde terrein overdroeg aan Staatsbosbeheer.

De stuw bij Oosterbeek, onderdeel van het zogenaamde 'Plan C' ter verdediging van de IJssellinie. In de Rijn en Waal werden van 1951 tot 1953 in het diepste geheim verplaatsbare stuwen aangebracht, die bij een vijandelijke inval vanuit het oosten een inundatie van de IJsselvallei konden bewerkstelligen. Naast het 'Plan C' bestond er een 'Plan D', dat voorzag in afdamming van de IJssel bij Deventer door eenzelfde soort caisson. Deze inundatieplannen werden in 1963 met de invoering van de NAVO-strategie van de 'voorwaartse verdediging' losgelaten, waarna de stuwen in 1965 door de genie werden opgeblazen.

EETZAAL STEENWIJKERWOLD

Een sfeervolle inkijk in de manschappenkantine van de Legerplaats Steenwijkerwold, die in 1953 in gebruik was genomen. Op deze twee jaar later gemaakte foto ogen de zaal en de inrichting nog als nieuw. Op de achtermuur hangt zoals gebruikelijk een staatsieportret van koningin Juliana. De ruime toepassing van glas gaf de kazernes uit de jaren vijftig een lichter karakter dan hun vooroorlogse voorgangers. Op 5 mei 1964 werd de legerplaats vernoemd naar Johannes Post, een verzetsstrijder die door de Duitsers was gefusilleerd. In juli 1994 werd de hier afgebeelde eetzaal door brand verwoest.

LEGERPLAATS CRAILO

Het Korps Mobiele Colonnes tijdens een oefening in het 'ruïnedorp' bij de Legerplaats Crailo. Het oefendorp kwam in 1956 tot stand, speciaal om militairen, en dan in het bijzonder de Mobiele Colonnes, de gelegenheid te bieden levensechte oefeningen in rampenbestrijding te houden. Het dorp bood de realistische aanblik van een woonkern waarin zich een ramp had voltrokken. Tijdens oefeningen kon deze indruk met kleinschalige brandjes en rookbommen worden versterkt. Op de foto wordt geoefend in het veiligstellen van een slachtoffer vanaf een hoger gelegen verdieping. Ook toen het Korps Mobiele Colonnes in 1993 werd opgeheven, bleef het oefendorp bij Crailo in gebruik.

• FOTO: H. MONTIJN (LFFD)

ZAANDAM, 1959

Een medewerker van de Artillerie-Inrichtingen (AI) in een werkplaats vol hulzen voor luchtdoelgranaten met een kaliber van 4 cm. Het bedrijf stond ook bekend onder de naam Hembrug, naar een nabijgelegen spoorbrug over het Noordzeekanaal. Na 1945 kostte het veel moeite de door de Duitsers leeggeroofde productiehallen te herstellen. Met Amerikaanse hulp werd de productie in de jaren vijftig weer op peil gebracht. In deze wederopbouwjaren maakte de AI ook veel landbouwmachines en leverde zo een bijdrage aan de mechanisering van de agrarische sector. Het bedrijf had overigens naast wapens en munitie altijd al producten voor de civiele markt vervaardigd. En daar ging het mee door, tot kinderfietsjes aan toe!

LA COURTINE

Omdat er in Nederland een tekort was aan terreinen waar de landmacht met zwaar materieel grootschalige oefeningen kon houden, moest zij naar het buitenland uitwijken. Van 1959 tot 1964 oefenden Nederlandse militairen in 'La Courtine' in het midden van Frankrijk. La Courtine bood dan wel de gewenste ruimte, maar in veel opzichten was het kamp verre van optimaal. De hygiëne was niet om over naar huis te schrijven, terwijl de staat van onderhoud van de gebouwen en de andere voorzieningen erg matig was. Op de foto werkt een groepje 'verbindelaars' aan een telefoonlijn binnen het kamp.

LA COURTINE

Halftracks van 102 Verkenningsbataljon worden voor de thuisreis op trein-wagons gereden na de jaarlijkse oefeningen in La Courtine. Oefenen in het buitenland betekende veel logistieke rompslomp. Militairen en wielvoertuigen reisden over de weg naar Frankrijk, terwijl tanks en het overige zware materieel per spoor werden vervoerd. Over de weg duurde het vier dagen voordat de colonne op de plaats van bestemming was. Toen de Franse overheid ook nog eens besloot een forse huurverhoging door te voeren, verruilde de legerleiding de legerplaats voor oefenterreinen op de Noord-Duitse laagvlakte. Dit tot ver-driet van de lokale bevolking van La Courtine, die een graantje had meegepikt van de aanwezigheid van de Nederlandse militairen.

XXXXXX

Het cadettenbataljon staat aangetreden voor een inspectie door prins Bernhard ter gelegenheid van de traditionele dies oftewel de jaarlijkse viering van de stichtingsdag van de Koninklijke Militaire Academie (KMA). In 1961 vond op die dag tevens de installatie plaats van het Curatorium van de KMA en van de Raad van Gouverneur en Assessoren. Deze installatie vormde de bestuurlijke afsluiting van een onderwijsvernieuwing binnen de KMA. De Academie, die als opleidingsinstituut voor officieren dienst doet, is sinds haar oprichting in 1828 in het Kasteel van Breda gevestigd. De foto is genomen op de Parade, het voor het kasteel gelegen terrein.

LEGERPLAATS DE WITTENBERG

De Nederlandse driekleur wappert op de verder nog wat kale Legerplaats De Wittenberg bij Stroe. De midden op de Veluwe gelegen legerplaats werd begin 1951 als 'zomerkamp' voor herhalingsoefeningen gebouwd op een kort daarvoor afgebrand heideterrein. Het bood plaats aan 3200 militairen. Een soortgelijk kamp verrees in Oirschot. Wegens de toenemende behoefte aan permanente legeringsruimte werd De Wittenberg na de zomer van 1951 voor de huisvesting van parate troepen ingericht. In 1978 kreeg de legerplaats de naam Generaal-majoor Kootkazerne, ter eervolle herinnering aan de voormalige commandant van de Binnenlandse Strijdkrachten generaal-majoor H. Koot.

KAZERNES AMSTERDAM

Op deze luchtfoto van de Plantagebuurt in Amsterdam-Oost zijn twee kazernes zichtbaar. Centraal is de Oranje-Nassaukazerne (ONK) te zien. De ONK werd in de Franse tijd, van 1810 tot 1812, gebouwd en deed na 1814 dienst als arsenaal en legeringskazerne. Tienduizenden dienstplichtigen ondergingen er hun militaire keuring. In juli 1989 werd de kazerne overgedragen aan de Gemeente Amsterdam, waarna in het complex woningen en bedrijven werden gevestigd. Links van de ONK, tegenover het Sarphatipark, liggen aangrenzend de zogeheten Kavalleriekazerne en het Rijksmagazijn voor Geneesmiddelen. De Centrale Militaire Apotheek en het Centraal Depot Geneeskundige Dienst, die beide complexen bevolkten, verhuisden in 1988 naar Heerenveen.

MILITAIR HOSPITAAL 'DR. A. MATHIJSEN'

UTRECHT, APRIL 1964

Een medewerker van de prothesewerkplaats van het Militair Hospitaal 'Dr. A. Mathijsen' (MHAM) tijdens de assemblage van een onderarmprothese. Van augustus 1945 tot april 1964 stond het ziekenhuis officieel bekend als Centraal Militair Hospitaal Utrecht, locatie 'Oog in Al', naar de Utrechtse wijk waar het zich bevond. De latere naam herinnert aan de militaire arts Anthonius Mathijsen (1805-1878), die in 1851 het gipsverband uitvond. De bouw van het Utrechtse militair hospitaal werd gerealiseerd in de jaren 1938 tot 1942, waarna de staf van de Duitse *Marinebefehlshaber (*later: *Admiral) in den Niederlanden* het pand betrok. De opening in september 1991 van een nieuw Centraal Militair Hospitaal elders in Utrecht betekende de sluiting van het MHAM.

HARSKAMP, 29 DECEMBER 1965

Hoewel het keukenpersoneel van het Infanterie Schietkamp Harskamp op deze in scène gezette foto aandachtig in de ketels tuurt, lijkt het er niet op dat er op het moment van de opname daadwerkelijk wordt gekookt. Het geheel maakt een frisse indruk, wat niet wegneemt dat vooral dienstplichtigen vaak klaagden over de kwaliteit van de kazernemaaltijden. In de jaren zeventig en tachtig waren er zelfs af en toe protestacties tegen het als slecht ervaren eten. Een onderzoeksrapport van de Vereniging van Dienstplichtige Militairen (VVDM) uit 1984 meldde dat bij 36% van de soldaten de soep en het vlees slecht bevielen en dat zelfs 39% een negatief oordeel over de groente en de aardappelen velde.

574 TANKWERKPLAATS

Uitzicht op de werkvloer van 574 Tankwerkplaats met een aantal ontmantelde Centuriontanks. In de jaren vijftig maakten de toegenomen aantallen rupsvoertuigen het noodzakelijk de bestaande onderhouds- en herstelcapaciteit uit te breiden met een grote, gespecialiseerde tankwerkplaats. Uit drie alternatieve locaties werd het 'Konijnenbos' bij Leusden gekozen als vestigingsplaats van deze nieuwe 170 Technische Dienst (TD) Basis Tankwerkplaats, die in 1956 werd geopend. Drie jaar later werd de naam gewijzigd in 574 TD Tankwerkplaats, om in 1965 kortweg 574 Tankwerkplaats te gaan heten. In de jaren negentig werd het bedrijf omgedoopt tot Mechanisch Centrale Werkplaats (MCW). Tegenwoordig voert het de naam Instandhoudingsbedrijf Landsystemen.

DE ZEELAND

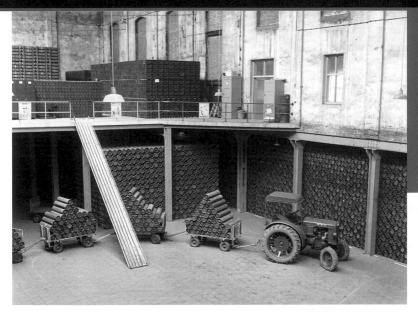

Niet al het Defensievastgoed is *purpose built.* Een fraai voorbeeld van een object dat eerst een totaal andere bestemming had, is de voormalige suikerfabriek *Zeeland* in Bergen op Zoom. *De Zeeland*, zoals het pand in de volksmond wordt genoemd, dateert uit 1917. Het wordt beschouwd als een kenmerkend vertegenwoordiger van de vroeg 20e-eeuwse industriële baksteenarchitectuur. Nadat de suikerfabrikant failliet was gegaan, nam Defensie het in 1929 in gebruik, aanvankelijk als schoenmakerij en als opslagruimte en herstelwerkplaats voor verbindingsmiddelen. Vanaf 1964 deed het dienst als magazijn voor munitieverpakkingen (zie foto). Toen dit depot in de jaren negentig de deuren sloot, volgde een discussie over de herbestemming van het gebouw. Onlangs kocht een projectontwikkelaar het complex.

CAVALERIE SCHIETKAMP

Een tank op het strand. Het in 1956 op de Vliehors op Vlieland in gebruik genomen Cavalerie Schietkamp (CSK) was de enige locatie in Nederland waar tankbemanningen met scherp konden schieten. Daarbij werd gevuurd op oefendoelen in de Waddenzee. De ligging van dit schietterrein in een kwetsbaar natuurgebied was omstreden. In 2004 werd het schietkamp afgestoten; dit gebeurde echter niet om milieuredenen, maar omdat er voor het inmiddels flink ingekrompen aantal tanks voldoende mogelijkheden waren om in Duitsland schietoefeningen te houden.

Overigens: de mantelmeeuw op de voorgrond is een opgezet exemplaar, door de fotograaf op het duin geplaatst ter verkrijging van 'een mooi plaatje'.

MADUROKAZERNE

DEN HAAG, 11 SEPTEMBER 1972

De kortgerokte schone die op deze foto zo veel interesse toont voor de Madurokazerne in Madurodam, is daar uiteraard bewust door de fotograaf neergezet. Deze kazerne, die al sinds de opening van het miniatuurpark in 1952 hiervan deel uitmaakt, is een maquette van de Koning Willem I-kazerne in Den Bosch. Tot 2004 vond het onderhoud plaats op kosten van het Ministerie van Defensie. Het origineel, de Bossche Koning Willem I-kazerne, werd overigens in 1992 afgestoten. Het rupsvoertuig op de voorgrond is een schaalmodel van de AMX pantserrups infanterie.

LEGERINGSKAMER BOREELKAZERNE

DEVENTER, CIRCA 1975

De legeringszaal op de foto lijkt, met de antiek ogende kachel en het gedateerde meubilair, uit een ver verleden te stammen. Toch is dit de situatie zoals die rond 1975 nog bestond, in dit geval in de Boreelkazerne te Deventer. De Boreelkazerne werd van 1847-1849 gebouwd naar een ontwerp van Bernardus Looman en kapitein-ingenieur Johan Rijsterborgh. Het complex, dat aan negenhonderd militairen onderdak bood, is een typisch voorbeeld van een 19e-eeuwse stadskazerne. Na onder meer een belangrijke rol als militair verbindingscentrum te hebben gespeeld, werd de kazerne na 1995 een krakersbolwerk. Thans wordt de Boreelkazerne heringericht tot een multifunctioneel centrum.

• FOTOGRAAF ONBEKEND

LEGERPLAATS SEEDORF

De platenshop van de Welzijnszorg in de Legerplaats Seedorf geeft een impressie van de dagelijkse omgeving van de Nederlandse militair die in de jaren zeventig zijn diensttijd in West-Duitsland doorbracht. Het tijdsbeeld dat de foto oproept zal bij veel betrokkenen nostalgische gevoelens oproepen. De Legerplaats Seedorf bij Zeven (omgeving Bremen) werd in 1963 door Nederlandse eenheden, met name 41 Pantserbrigade, in gebruik genomen. In ruil daarvoor ging de *Bundeswehr* in Nederland gebruik maken van de Legerplaats Budel (de latere Nassau-Dietzkazerne). Een plaatsing in Duitsland was bij veel militairen – zowel dienstplichtig als beroeps – populair, mede vanwege de gunstige secundaire arbeidsvoorwaarden.

FILMZAAL DE WITTENBERG

Een groepje soldaten verheugt zich zichtbaar op de 'wereldpremière' van de film *King Kong* in de filmzaal van Legerplaats De Wittenberg in Stroe. Hoewel het Centraal Filmbureau Krijgsmacht (CFK) destijds de grootste bioscoopexploitant van Nederland was, was het ongewoon dat het de primeur kreeg bij een monsterproductie (24 miljoen dollar) als *King Kong*. In dit ene geval wist het CFK, gebruik makend van een maas in het contract met de distributeur, de film echter een dag eerder in roulatie te brengen dan de reguliere bioscopen. Een filmzaal, waar het aanbod van het CFK werd vertoond, behoorde tot de vaste voorzieningen op de grote legerplaatsen en kazernes. Met name dienstplichtigen maakten er dankbaar gebruik van.

FORWARD STORAGE SITES

De staatssecretaris van Defensie, dr. W.F. van Eekelen, opent in Sehlingen bij Bremen de eerste vooruitgeschoven opslagplaats (*forward storage site*) voor het Eerste Legerkorps. Dankzij dergelijke opslagplaatsen voor met name munitie en brandstoffen kon de reactietijd van het legerkorps bij een (mogelijke) aanval door het Warschaupact flink worden bekort. In totaal wilde de Koninklijke Landmacht in West-Duitsland negen van zulke voorraaddepots bouwen – met voldoende opslagcapaciteit voor zeven dagen gevechtskracht – maar, door vertraging in de besluitvorming en de uitvoering, werd dit aantal niet gerealiseerd. Het einde van de Koude Oorlog maakte na 1990 de opslagplaatsen overbodig.

JOHAN WILLEM FRISOKAZERNE

Voor de UNIFIL-missie naar Zuid-Libanon uit te zenden militairen in een geïmproviseerde slaapzaal in de Johan Willem Frisokazerne te Assen. De militairen zijn voor hun opleiding tijdelijk in deze kazerne gehuisvest. De Johan Willem Frisokazerne, die uit het einde van de 19e eeuw stamt, bestond van oorsprong uit drie afzonderlijke kazernes: de Wilhelminakazerne, de Emmakazerne en de Hendrikkazerne. In de loop der jaren veranderde het aanzien van het complex ingrijpend door nieuwbouw en sloop, maar de drie kazernegebouwen uit de begintijd staan er nog steeds.

FORT EVERDINGEN

Fort Everdingen aan de Lekdijk tussen Vianen en Culemborg. Dit torenfort werd gebouwd van 1842 tot 1847 als onderdeel van de Nieuwe Hollandse Waterlinie. Het vormde samen met Fort Honswijk (aan de overzijde van de Lek) een doeltreffende afsluiting van deze rivier en haar dijken en uiterwaarden. De foto toont de ruimte tussen het eigenlijke fort en de later gebouwde contrescarp-galerij: een in een halve cirkel om het fort aangelegde aarden dekking, bedoeld om het een betere bescherming tegen artillerievuur te bieden. Vanaf 1971 is Fort Everdingen jarenlang in gebruik geweest bij het Explosieven Opruimings Commando van de Koninklijke Landmacht.

MOBILISATIECOMPLEXEN

De Koninklijke Landmacht beschikte sinds de jaren vijftig over tientallen over het land verspreide mobilisatiecomplexen (ook wel MOB-complexen genoemd). In deze depots bevond zich een groot deel van de materiële uitrusting van de mobilisabele eenheden. Zoals de foto laat zien, waren de goederen in beginsel zo opgeslagen dat een eenheid bij een oorlogsdreiging snel zou kunnen uitrukken. De beheerders van de mobilisatiecomplexen hadden de taak, door het plegen van periodiek onderhoud, al dit materieel voortdurend inzetgereed te houden. Na de val van de Berlijnse muur werd het aantal mobilisatiecomplexen sterk gereduceerd. De landmacht heeft tegenwoordig nauwelijks nog een mobilisabele component. Het complex Mijdrecht, hier nog in oude luister zichtbaar, is inmiddels verdwenen.

AFSTOTING KAZERNES

In de jaren negentig van de vorige eeuw werden veel landmachtkazernes als gevolg van de inkrimping van de krijgsmacht afgestoten. Ook de markante Koning Willem I-kazerne in Den Bosch, die in 1939 volgens stijlkenmerken van de Delftse School was gebouwd, werd in 1992 door zijn militaire bewoners, 48 Pantserinfanteriebataljon, verlaten. Het complex werd daarna gebruikt voor de tijdelijke huisvesting van vluchtelingen uit onder meer de Balkan, wat het bijgaande, voor een kazerne ongebruikelijke beeld oplevert. Na een renovatie en aanvullende nieuwbouw werd de voormalige kazerne het domein van het Koning Willem I College, een groot regionaal onderwijscentrum.

MILITAIR PENITENTIAIR CENTRUM

NIEUWERSLUIS, 11 AUGUSTUS 1992

Een 'brommende' militair in zijn cel in het Militair Penitentiair Centrum in de Koning Willem III-kazerne in Nieuwersluis. Het monumentale pand aan het kruispunt van de Nieuwe Wetering en de Vecht werd van 1877 tot 1881 als Pupillenschool gebouwd. Dit was een lagere school, speciaal bestemd voor kinderen van beroepsmilitairen. Na de opheffing van deze school in 1896 bood de kazerne onderdak aan militaire bewoners van diverse pluimage, tot in 1922 het Depot van het Korps Politietroepen er werd gehuisvest en een gedeelte als gevangenis werd ingericht. In 1950 kreeg het een specifieke taak als militair huis van bewaring. Sinds 1997 is het gebouw een justitiële inrichting voor vrouwen.

LEGERING NIEUWE STIJL

Vroeger waren soldatenkamers spartaans gemeubileerde ruimtes zonder privacy. Met de toename van het aantal 'beroepsmilitairen bepaalde tijd' (de zogeheten BBT'ers) in de jaren negentig werden de eisen voor legeringsaccommodatie verhoogd. In augustus 1993 startte in de Oranjekazerne in Schaarsbergen een proef met leefunits 'nieuwe stijl' voor BBT'ers. Elke eenheid, bestaande uit enkele slaapvertrekken en een gemeenschappelijk woonvertrek, bood plaats aan acht of negen militairen. Zoals de als sobere registratie bedoelde foto laat zien, kwamen de slaapcompartimenten door paneelafscheidingen tegemoet aan de behoefte aan een meer persoonlijke levenssfeer. Een gemeenschappelijk element in de legering, in de vorm van een zitje, diende ter bevordering van het groepsgevoel.

KOLONEL SIXKAZERNE

AMSTERDAM, 1995

Een blik op de Kolonel Sixkazerne in Amsterdam. In de jaren zeventig en tachtig betrokken vooral de stafafdelingen van de krijgsmacht in toenemende mate tamelijk anonieme kantoorcomplexen. Deze complexen hadden nauwelijks nog een militaire uitstraling. Niets aan het gebouw op de foto doet vermoeden dat het hier om een kazerne gaat. Alleen de militair op de voorgrond geeft ons een hint. Vanaf de jaren negentig werd, als gevolg van de ingrijpende afslanking van de krijgsmacht, ook een groot deel van dit moderne vastgoed afgestoten. De Kolonel Sixkazerne, die sinds 1987 bij de Koninklijke Landmacht en de Koninklijke Marechaussee in gebruik was, werd in 2004 weer ontruimd.

VAN RADERBAAR TOT GEVECHTSTANK: MATERIEEL

VESTINGGESCHUT 15 CM 'KORT'

DEN HAAG, 1902

De Haagse schutterij-artillerie oefent op de schietbaan in het duingebied Westduinen met het voor die tijd redelijk moderne vestinggeschut 15 cm 'kort'. Dit in 1880 ingevoerde geschutstype was een van de eerste stalen kanonnen bij de artillerie. Hoewel het om snellaadgeschut ging, was het niet goed mogelijk in hoog tempo te vuren. Wegens de sterke terugloop van het kanon ging namelijk na ieder schot de ingestelde vuurrichting goeddeels verloren. In de loop der jaren werden verschillende verbeteringen aan het veld- en vestinggeschut doorgevoerd, maar het probleem van het teruglopen van de vuurmonden werd pas omstreeks 1900 opgelost met de invoering van de gelede affuit.

GASBALLONNEN

Manschappen van het Regiment Genietroepen vullen een gasballon. In 1904 besloot minister van Oorlog J.W. Bergansius tot de aanschaf van twee van deze door de genie beheerde luchtballonnen. Deze waren bedoeld om doelen voor de artillerie op te sporen. De genie was ook in 1886 al eens een experiment met luchtballonnen gestart voor het verkennen van vijandelijke stellingen en het doorgeven van optische seinen. Vanwege het matige functioneren van deze eerste ballonnen kwam aan die proefnemingen in 1890 een vroegtijdig einde. De hernieuwde interesse voor de ballonvaart na 1902 vormde, samen met de komst van het vliegtuig, een belangrijke impuls voor het ontstaan van een Luchtvaartafdeling bij het leger, de vroegste voorloper van de huidige Koninklijke Luchtmacht.

GESCHUT '7 VELD'

Officieren van de 4e Dubbelbatterij van het 1e Regiment Veldartillerie poseren voor het raadhuis van Oisterwijk bij een stuk geschut van het type '7 veld'. Dit in 1904 ingevoerde nikkelstalen snelvuurkanon met een kaliber van 7,5 cm was ontworpen door de Duitse fabrikant Krupp, maar een deel van de in Nederland gebruikte exemplaren werd in licentie bij de Artillerie-Inrichtingen vervaardigd. Bij het afkondigen van de mobilisatie op 1 augustus 1914 beschikte het Veldleger over 156 stuks. Nadat de '7 veld' in 1926 door de Hollandsche Industrie en Handelmaatschappij was gemodificeerd, deed de vuurmond dienst tot in de meidagen van 1940.

KEUKENAUTO

De automobiel deed rond 1905 zijn intrede bij het Nederlandse leger, zij het aanvankelijk met horten en stoten. In veel landen bracht de Eerste Wereldoorlog een doorbraak in het militaire gebruik van motorvoertuigen teweeg. Het Nederlandse militaire voertuigenpark was in 1914 nog te klein om bij een gewapend conflict van betekenis te kunnen zijn. Om toch aan voertuigen te komen, werden particuliere wagens gevorderd. Op de foto een geïmproviseerde keukenauto op het onderstel van een Ford TT, de vrachtautoversie van de welbekende Ford Model T. Aangezien de foto lijkt te zijn gemaakt op het terrein van de Artillerie-Inrichtingen aan de Hembrug, is dit bedrijf vermoedelijk de bouwer van deze creatie.

GENIEVAARTUIG

PLAATS ONBEKEND, 1915

Torpedisten leggen met een behulp van een vaartuig van de genie een elektri-
citeitskabel aan in een zeegat. Dergelijke kabels dienden voor het ontsteken
van elektro-schoktorpedo's – een soort verankerde zeemijnen – die in de belangrijkste zeegaten en oorlogshavens tegen vijandelijke schepen waren aangebracht. Vanaf een station aan de wal konden deze peervormige wapens, gevuld
met ongeveer tachtig kilo springstof, worden geactiveerd, gedeactiveerd en zo
nodig tot ontploffing gebracht. Het in 1881 opgerichte Korps Torpedisten
beschikte hiervoor zowel in Brielle als in Den Helder over een goed geoutilleerde
werf met vaartuigen.

1

RADERBAAR

Materieel van de geneeskundige troepen, met vooraan twee zogeheten raderbaren of ambulancekarren voor twee personen, en op de achtergrond een tweewielige ziekenkar (links) en een open vierwielige raderwagen voor geïmproviseerd gewondenvervoer (midden). Op de achtergrond zien we de gevel van het Utrechtse militair hospitaal. De raderbaar was een Nederlandse uitvinding. Omstreeks 1860 maakte de Nederlandse officier van gezondheid Cornelis de Mooy (1834-1926) hiervoor het eerste ontwerp. De raderbaar was niet de enige medische uitvinding van De Mooy. Hij stond tevens aan de wieg van het brancardraam, diverse aseptische verbanden en de rotan spalkenset.

MOBIELE WAARNEMINGSPOSTEN

De foto toont de enigszins curieuze aanblik van twee mobiele waarnemingsposten van de artillerie. In een tijd dat het gebruik van vliegtuigen voor de verkenning van het gevechtsterrein en het observeren van de vuuruitwerking nog geen gemeengoed was, vormden deze geïmproviseerde uitkijkposten – rustend op een caissonwagen van het geschut '7 veld' – een voor de hand liggende oplossing. De wagens werden rechtop gezet, waarna de verlengde dissel van een soort touwladderconstructie werd voorzien. Een aantal spanlijnen en een schraag moesten voor de nodige balans zorgen, maar het beklimmen van de stellage was niettemin een taak, zo lijkt het, voor behendige militairen zonder hoogtevrees.

MORTIER 10 CM

Drie artilleristen in een verdiepte stelling bij een mortier met een kaliber van 10 cm in de Legerplaats Oldebroek tijdens de mobilisatie 1914-1918. Dit type mortier van hardbrons, dat in 1884 werd ingevoerd, werd door de Rijks-geschutgieterij in Den Haag geproduceerd, met een ontwerp van Krupp als uitgangspunt. Met het stuk konden brisantgranaten van 12,5 kg en buskruit-granaten van 11,8 kg worden afgeschoten. Het transport van het wapen gebeurde met een speciale mortierwagen. Van dit type mortier bestond ook een zwaardere versie met een kaliber van 15 cm. De militair links op de foto lijkt bezig met het temperen van de granaat ofwel het instellen van de tijdbuis.

GASMASKER C

Het gasmasker is in zijn primitiefste vorm een 19e-eeuwse uitvinding. Tijdens de Eerste Wereldoorlog, waarin voor het eerst op grote schaal chemische strijdmiddelen werden ingezet, maakte dit uitrustingsstuk een snelle ontwikkeling door. Ook bij het Nederlandse leger deed het zijn intrede. Het door de artillerist op de foto geshowde model (het gasmasker C) uit 1918, bood bepaald geen optimale bescherming, omdat mond, neus en ogen niet volledig werden afgesloten. De vergelijking met de snuit van een miereneter dringt zich onwillekeurig

op. In de jaren twintig en dertig, toen men er ernstig rekening mee hield dat bij een nieuwe oorlog op grote schaal strijdgassen zouden worden ingezet, werden steeds betere gasmaskertypen ingevoerd.

GESCHUT '15 LANG 15'

PLAATS ONBEKEND, CIRCA 1925

Veel van het materieel waarover het Nederlandse leger in het interbellum beschikte, mocht dan niet hypermodern zijn, in zijn robuuste eenvoud wist het soms wel te imponeren. Dat gold zeker voor deze zogenoemde Vickers '15 lang 15', een omstreeks 1920 ingevoerde houwitser (kanon met korte schiet- buis) met een kaliber van 15 cm. De munitie voor dit wapen werd door de Artille- rie-Inrichtingen geproduceerd. In combinatie met de Fordson trekker, die het bijna vier ton wegende gevaarte trok, moet deze vuurmond een indrukwekkende verschijning zijn geweest. Het geheel werd begeleid door een Fordson truck, waarin twee volledige stuksbemanningen konden plaatsnemen.

TELEFOONCENTRALE

Rond de eeuwwisseling deed naast de al langer gebruikte telegrafie de telefonie op grote schaal haar intrede bij de landmacht. Een nadeel van telefonie was echter dat de vijand, indien hij er in slaagde een verbinding af te tappen, het gesprek kon afluisteren. Dat gold weliswaar ook voor de lijntelegrafie, maar daarbij konden berichten gemakkelijker worden gecodeerd. Daarom werd voor oorlogstijd het gebruik van de telegraaf voorgeschreven. Niettemin groeide tijdens de mobilisatie 1914-1918 de telefoon wegens het grote bedieningsgemak

uit tot het meest gebruikte verbindingsmiddel. Na 1920 ging het leger tevens gebruikmaken van radiotelefonie, radiotelegrafie en telex. Desondanks bleef de conventionele telefoon tot aan de meidagen van 1940 het belangrijkste verbindingsmiddel. De foto laat een handgeschakelde centrale zien.

KUSTGESCHUT '15 LANG 40'

De Schoolcompagnie van het Regiment Kustartillerie houdt op Batterij Erfprins Noord aan het zeefront van Fort Kijkduin een schietoefening met een kanon '15 lang 40'. De bediening van het kanon prepareert het eerste schot, terwijl de mannen daarachter de granaat voor het tweede schot gereedhouden. In de jaren twintig concludeerde de Raad van Defensie dat de Nederlandse kustforten onvoldoende bescherming boden tegen aanvallen vanaf zee, mede omdat het daarin geplaatste geschut sterk verouderd was. Daarom werden er buiten die forten verschillende typen moderner snelvuurgeschut geplaatst, zoals de '15 lang 40'. Veel van deze vuurmonden waren afkomstig van pantserschepen van de marine.

• FOTO: FTDLVA

PAARDENTRACTIE

Een grote verzameling wagens op de appèlplaats van de Kromhoutkazerne, toebehorend aan de Verlichtingsafdeling van het Regiment Genietroepen. Deze overzichtsfoto illustreert eens te meer hoe belangrijk de functie van het paard binnen de krijgsmacht destijds nog was. Door deze afhankelijkheid waren op bijna elke kazerne een of meer paardenstallen te vinden. In vredestijd beschikte het leger echter niet over voldoende paarden om al het bereden personeel en al het materieel te kunnen voortbewegen. Daarom zou, wanneer de regering het sein tot mobiliseren zou geven, onmiddellijk een groot aantal viervoeters van particulieren worden gevorderd.

• FOTO: FRG

EHRHARDT PANTSERWAGEN

De eerste Nederlandse pantserwagen was de van oorsprong Duitse Ehrhardt, die naar verluidt in 1918 in het grensgebied in Zuid-Limburg was achtergebleven. Het voertuig was gebouwd op een rudimentair vrachtwagen-chassis, dat in 1920 door de firma Siderius werd voorzien van een compleet nieuwe gepantserde opbouw met kanon. Het voertuig kreeg de bijnaam de Potkachel. Het verhaal gaat dat er destijds binnen de landmacht slechts drie personen waren die het acht ton wegende gevaarte konden besturen. Ondanks zijn minimale inzetbaarheid moest de Ehrhardt lang op zijn pensioen wachten. Bij de Duitse inval in mei 1940 maakte deze antiquiteit formeel nog steeds deel uit van de bewapening, maar zij kwam toen niet in actie.

LANDSVERK M.36

ROTTERDAM, 12 JUNI 1936

Een drukte van belang op de Coolsingel. Een colonne Landsverk M.36 pant-serwagens van het op 1 april 1936 opgerichte (1e) Eskadron Pantserwagens neemt deel aan een defilé tijdens een Leger- en Vlootdag in Rotterdam. Het Ministerie van Defensie had het jaar ervoor bij de Zweedse firma Landsverk een order voor twaalf van dergelijke voertuigen geplaatst. Het ging om het type L181, dat in Nederland de aanduiding M.36 kreeg. In 1938 zou Landsverk nog eens veertien pantserwagens leveren, ditmaal van het licht afwijkende type L180. Met deze bij de landmacht als M.38 bekendstaande pantserwagens werd in juni van dat jaar een tweede eskadron uitgerust.

• FOTO: N.V. POLYGOON

VUURLEIDINGSAPPARATUUR

In vergelijking met de meeste andere wapens en dienstvakken binnen de land-macht, was de luchtdoelartillerie eind jaren dertig van de vorige eeuw relatief goed geoutilleerd. De angst voor wat men het 'luchtgevaar' noemde was in die tijd dan ook groot. Vanaf 1935 werd de bewapening ingrijpend gemoderniseerd. Er werd daarbij niet alleen in nieuwe vuurmonden geïnvesteerd, maar ook in moderne vuurleidingsapparatuur voor het nieuwe en reeds aanwezige geschut. De foto toont het imposante Vickers vuurleidingsmaterieel, bestaande uit een hoogtemeter (links) en een vuurleidingstoestel, dat hoorde bij de vuurmond tegen luchtdoelen met een kaliber van 7,5 cm.

ZOEKLICHTEN

Avondstemming in militaire stijl; een zoeklichteneenheid van de verlich-tingstroepen aan het werk op de Utrechtse Kromhoutkazerne. De sterke lichtbundels van de zoeklichten dienden om de nachtelijke hemel af te speuren naar vijandelijke vliegtuigen en zo de luchtdoelartillerie in staat te stellen ook bij duisternis gericht vuur uit te brengen. Het beheer van de verlichtingsapparatuur was een taak van de genie, die ook veel ander specialistisch materieel onder haar hoede had. Het afgebeelde middelgrote exemplaar is het zoeklicht 'met rol-luikenblind, nr. 81' met een reflectordiameter van 90 cm.

RENAULT FT 17 TANK

In 1927 schafte de landmacht als proefexemplaar een lichte tank van het type Renault 'FT 17' aan. Dit was Nederlands eerste tank. Bij deze aankoop bleef het voorlopig. De Renault-tank werd in november 1939, ten tijde van de mobilisatie, van stal gehaald, om aan te tonen dat onderwaterzettingen voor tanks een onoverkomelijke hindernis vormden. De tank werd een ondergelopen aardappelveld ingereden, waar het voertuig snel roemloos in een onder het wateroppervlak verborgen sloot wegzakte. Een dag later werd de tank weer op het droge gesleept, zoals de foto laat zien. Deze publiciteitsstunt had tot gevolg dat onder meer de krant *Het Vaderland* foto's van dit experiment afdrukte onder de kop 'De kracht van het Nederlandsche inundatiegebied'.

CHEVROLET QD/DAF TRADO II

De Nederlandse fabrikant DAF (Van Doornes Aanhangerfabrieken, later: Van Doornes Automobielfabrieken) legde in de jaren dertig de basis voor zijn reputatie als leverancier van militaire voertuigen door vrachtwagens van Ford en Chevrolet met de zogeheten Trado-achteras uit te rusten. Deze wagens deden vooral dienst als artillerietrekker. De Trado-constructie was ontwikkeld door eerste-luitenant ir. P.H. van Trappen en DAF-directeur ir. H. van Doorne. Het betrof een beweeglijk wielstel met twee assen, dat de oorspronkelijke achteras verving. De terreinvaardigheid nam hierdoor aanzienlijk toe. Zoals de foto toont, kon men om de achterwielen een rupsband leggen, waardoor de terreingang nog verder verbeterde, maar eveneens is te zien dat er soms toch nog spierkracht nodig was om het voertuig vooruit te helpen.

DAF 139

Aan de creatieve geest van Hub van Doorne, oprichter van de DAF-fabrieken, ontsproot menig bijzonder voertuig. Een goed voorbeeld daarvan is de DAF 139, een amfibisch voertuig met centraal geplaatste motor, dat zich even snel voor als achteruit kon bewegen. Beide assen waren voorzien van een stuurinrichting, waardoor de 139 in feite twee voorzijden had. Technisch leunde de wagen zwaar op componenten van de Citroën 11 CV. Er werden twee prototypes vervaardigd, waarmee in de IJssellinie proefnemingen werden gedaan. Een van de twee zou volgens geruchten bij het uitbreken van de oorlog zijn begraven op het fabrieksterrein in Eindhoven.

WS-18 RADIOSET

VERMOEDELIJK DEN HAAG, 1947

Na afloop van de Tweede Wereldoorlog kwam er bij de Nederlandse krijgsmacht een grote instroom van Brits, Canadees en Amerikaans materieel op gang. Veelal waren dit uitrustingsstukken die tijdens de oorlog door de geallieerde strijdkrachten waren gebruikt, maar na de bevrijding overtollig waren geworden. In plaats van dit materieel in grote legerdumps te laten wegroesten, werd het zinvoller geacht het een 'tweede leven' te gunnen door het aan 'berooide' legers, waaronder de Koninklijke Landmacht, over te dragen. Het ging hier niet alleen om voertuigen en wapens, maar bijvoorbeeld ook om de hier afgebeelde Britse WS-18 radioset. Getuige de beschadigingen op de kast had het apparaat in 1947 al een zwaar leven achter de rug.

GMC STAGHOUND

Een Staghound pantserwagen. Dit verkenningsvoertuig, uitgerust met een 37mm kanon in een draaibare koepel, was een door General Motors ontwikkeld product dat tijdens de Tweede Wereldoorlog vooral door de Britse en Canadese strijdkrachten werd gebruikt. Het was tevens een van de eerste pantserwagens die na 1945 bij de landmacht hun intrede deden. Na een bescheiden start met de verwerving van drie stuks uit Canadese dumpvoorraden – waarbij naar verluidt prins Bernhard een bemiddelende rol speelde – liep het aantal Staghounds in gebruik bij de cavalerie op tot meer dan honderd stuks. Een aantal daarvan bleef tot 1963 in de bewapening.

GEALLIEERD DUMPMATERIEEL

Een illustratief beeld van de situatie waarin de landmacht kort na de Tweede
Wereldoorlog verkeerde. Zij moest het zien te rooien met een mengelmoes
van vaak al flink versleten materieel dat door de geallieerde legers was achtergelaten, terwijl de voorzieningen voor herstel en onderhoud nog erg armzalig
waren. Daartegenover stonden veel goede wil en een groot improvisatievermogen om met de schaarse middelen het beste ervan te maken. Op de foto wordt
een Packard personenauto van waarschijnlijk Canadese herkomst in de open
lucht op de (Nieuwe) Frederikkazerne door een monteur provisorisch hersteld.
Na 1950 verbeterde de materieelsituatie snel, mede doordat er met Amerikaanse hulp veel nieuwe wapens en voertuigen beschikbaar kwamen.

25-PONDER

Een artillerist richt een 25-ponder. Dit kanon, waarvan de benaming verwijst naar het gewicht (in Britse ponden) van de granaten die het stuk afvuurt, was een Brits wapensysteem dat sinds 1938 in productie was. De vuurmond was tijdens de Tweede Wereldoorlog in gebruik bij de Britse en Canadese strijdkrachten, maar ook bij de Koninklijke Nederlandse Brigade 'Prinses Irene'. De 25-ponder - jarenlang het standaardkanon van de lichte veldartillerie - kende bij de landmacht een lange loopbaan. Tot 1984 maakte hij deel uit van de bewapening, zij het sinds de jaren zestig uitsluitend bij mobilisabele eenheden. Vandaag de dag wordt de 25-ponder nog gebruikt door de Saluutbatterij van het Korps Rijdende Artillerie.

• FOTO: H. VAN BOLÈS (LFFD)

BAILEYBRUG

Leerlingen van de Kaderschool van het 1e Regiment Pioniers bouwen een bai-leybrug. Dit regiment was in de jaren 1946-1947 belast met de opleiding van het kader van de naar Nederlands-Indië uit te zenden genie-eenheden. Het bai-leybrugmaterieel, dat uitstekend geschikt was voor gebruik in het veelal geacci-denteerde Indische landschap, bewees daar goede diensten bij het tijdelijk herstel van de beschadigde infrastructuur. De foto is overigens nog in Nederland genomen, hoewel de ontblote bovenlijven doen vermoeden dat de mannen al onder tropische omstandigheden aan het werk zijn.

WILLYS JEEP

Gereviseerde Jeeps staan in de werkplaats van de Reparatie Inrichtingen en Materieel Inspectie (RIMI) te Hembrug gereed voor transport. In de Tweede Wereldoorlog maakten de geallieerde legers, inclusief de Nederlandse troepen, op grote schaal gebruik van de Willys Jeep. Na mei 1945 kwamen er veel zogenoemde 'oorlogsjeeps' beschikbaar, maar het overgrote deel verkeerde in slechte staat. Doordat er nauwelijks reservedelen voorhanden waren, was het alleen mogelijk een beperkt aantal voertuigen in bruikbare staat te krijgen door de overige exemplaren te kannibaliseren. De oorlogsjeep en de in het begin van de jaren vijftig geleverde Universal Jeep werden omstreeks 1955 grotendeels vervangen door de verbeterde NEKAF M38A1, die door de Nederlandse Kaiser-Frazer Fabrieken in Rotterdam in licentie werd gebouwd.

RADAR 3 MK7

DEN HAAG, 22 JULI 1949

De militaire toepassing van de radartechnologie, waarvan de wortels tot omstreeks 1900 teruggaan, werd in de Tweede Wereldoorlog gemeengoed. De hier in een proefopstelling afgebeelde radar nr. 3 Mk7 was een van de eerste toestellen die bij de Nederlandse luchtdoelartillerie in gebruik kwamen. De trailer waarop de radar was geplaatst, herbergde de vuurleidingsapparatuur. Dit mobiele radarvuurleidingssysteem zou vanaf begin jaren vijftig in vaste combinatie met het luchtafweerkanon van 90 mm worden ingezet. Niet elke afdeling luchtdoelartillerie was toen al zo modern uitgerust. Een aantal moest zich nog enige jaren behelpen met het zoeklicht als belangrijkste doelopsporingsmiddel.

• FOTO: BIERHUIS (LFFD)

M59 LONG TOM

De complete stuksbediening staat aangetreden bij een groot stuk veldgeschut, de 155 mm M59, beter bekend onder zijn bijnaam Long Tom. Dit
Amerikaanse kanon, dat uit de Tweede Wereldoorlog stamt, werd in 1952 ook in
de bewapening van de Koninklijke Landmacht opgenomen, namelijk bij 106
Afdeling Veldartillerie. In 1959 werd het wapen alweer gedeeltelijk uitgefaseerd,
om in 1966 definitief door het gemechaniseerd geschut M107 te worden vervangen. Ondanks zijn relatief korte carrière in Nederland was de Long Tom een
imposante vuurmond, met een maximale projectieldracht van bijna 25 km. Een
exemplaar is te bewonderen in de collectie van het Artilleriemuseum in Oldebroek.

DRAAGGOLFTOESTEL

Militairen van de verbindingsdienst meten een radiozend- en ontvangst-installatie door. Het betreft nogal ongebruikelijke apparatuur van de Britse vestiging van Siemens, gebruikt als lesopstelling van de monteursopleiding 'meerkanaals draaggolfapparatuur'. Ook deze apparatuur was afgedankt oorlogsmaterieel van de geallieerden en op het moment van de opname dan ook hoognodig aan vervanging toe. De toenemende behoefte aan mobiliteit luidde het einde in van logge units zoals op de foto. In de jaren vijftig deed de modernere en veel flexibeler inzetbare straalzender, die in combinatie met meer compacte draaggolfapparatuur kon worden gebruikt, zijn intrede.

CENTURION MK5

PLAATS ONBEKEND, WINTER 1953/1954

Een van de eerste Centurion Mk5 gevechtstanks in Nederland in een winters oefenterrein. Deze Britse tank – op de foto nog voorzien van Britse kentekenplaten – stroomde bij de landmacht in als onderdeel van het Amerikaanse hulpprogramma. Hoewel niet de eerste keus van de legerleiding, was de Centurion, voorzien van een 20-ponder kanon, een grote verbetering in vergelijking met de afgebeelde Shermantanks waarmee de landmacht tot dan toe had moeten werken. In totaal nam de cavalerie in de jaren vijftig circa 650 stuks in gebruik. Omstreeks 1970 werd de inmiddels behoorlijk verouderde, trage, onzuinige en onderhoudsintensieve Centurion geleidelijk vervangen door de Leopardtank. Niettemin bleven 343 gemoderniseerde Centurions, nu uitgerust met een 105mm kanon, tot in de jaren tachtig in de bewapening.

• FOTO: LFFD

MUNITIE .50-MITRAILLEUR

AMSTERDAM (?), 1957

De N.V. Nederlandse Machinefabriek 'Artillerie-Inrichtingen' (AI) maakte in de jaren vijftig en zestig frequent gebruik van de diensten van de Amsterdamse fotograaf Jan Schiet (1921-1964). In opdracht van deze aan de Hembrug bij Zaandam gevestigde munitie- en geschutfabriek fotografeerde Schiet de producten, de bedrijfsprocessen en de gebouwen. Een bijzondere foto uit deze reeksen is het hierbij afgebeelde fotogram met munitie voor de mitrailleur .50. Een fotogram is een afbeelding waarbij het object in een donkere kamer op lichtgevoelig materiaal wordt gelegd en vervolgens belicht. Er komt geen camera aan te pas.

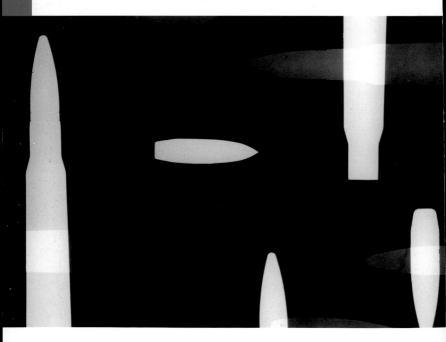

INFRAROODAPPARATUUR

E en sergeant demonstreert de werking van een infraroodvizier in combinatie met een infraroodschijnwerper, gemonteerd op een NEKAF Jeep. De mogelijkheden van het gebruik van infrarood licht voor de oorlogvoering bij duisternis werden reeds in de Tweede Wereldoorlog benut. Philips ontwikkelde aan het eind van de jaren veertig het infraroodvizier IROVI. Het Nederlandse leger startte in 1948 een gelijknamig project dat voorzag in de uitrusting van het leger in Indië met deze infraroodviziers. De hier getoonde IROVI is een doorontwikkeling van het oorspronkelijke ontwerp. Behalve als navigatiemiddel zoals op deze Jeep, leende het vizier zich bij uitstek als richtmiddel voor (scherp)schutters.

DAF YP-408

Eind jaren vijftig ontwikkelde DAF een pantserwielvoertuig voor de Nederlandse infanterie. Deze YP-408 was gebaseerd op een kort daarvoor vervaardigd prototype van een gepantserde auto die in tijd van oorlog de leden van het Koninklijk Huis diende te evacueren. De foto is genomen tijdens een eerste vergelijkende beproeving waarin een doorontwikkeld prototype van de YP-408 zich tegenover het Amerikaanse pantservoertuig M75 moest bewijzen. Hoewel het Nederlandse wielvoertuig zich minder gemakkelijk door het terrein kon verplaatsen dan zijn van rupstractie voorziene tegenstrever, hield het zich goed staande. Bij de verdere ontwikkeling van de YP-408 verdwenen onder meer de als luchtinlaat fungerende lamellen aan de voorzijde. Uiteindelijk kreeg de landmacht de beschikking over 750 YP-408's.

CAVALERIEMATERIEEL

En overzicht van de organisatie en uitrusting van 102 Verkenningsbataljon, bestaande uit (van voor naar achter) het stafeskadron, drie verkenningseskadrons, het tankeskadron en het verzorgingseskadron. In totaal beschikte het bataljon over 23 Chaffeetanks, zeventien Centuriontanks, zes Shermantanks, drie bergingstanks, alsmede een groot aantal halfrupsvoertuigen, wielvoertuigen en motorfietsen. De foto is genomen tijdens de zogeheten Dag der cavalerie op het betonplan van het oefenterrein Vlasakkers, direct achter de Bernhardkazerne te Amersfoort.

HONEST JOHN

GRAFENWÖHR (WEST-DUITSLAND), JULI 1960

De Honest John was een niet-geleide raket tegen gronddoelen. De invoering van dit Amerikaanse wapensysteem, dat met een atoomkop kon worden uitgerust, maakte deel uit van de NAVO-strategie om een aanval van het Warschaupact desnoods met kernwapens tot staan te brengen. De mobiele lanceerinrichtingen werden organiek bij de landmacht ingedeeld, maar de atoomkoppen bleven in bezit van de Amerikanen. Om de Honest John te kunnen afvuren, moesten de artilleristen afreizen naar een groot Amerikaans oefencomplex in het Beierse Grafenwöhr. In Nederland was geen militair terrein beschikbaar dat groot genoeg was voor de lancering van het projectiel.

PRODUCTIE AMX

De productie van AMX-voertuigen in de fabriek van Creusot-Loire in Chalon-sur-Saône. De AMX was een ontwerp uit de jaren vijftig van het Atelier de Construction d'Issy-les-Moulineaux. De landmacht kocht de AMX in verschillende uitvoeringen aan, onder meer als infanterievoertuig, lichte tank en gemechaniseerde houwitser. In totaal ging het om een bestelling van bijna 850 voertuigen. De toenmalige matige reputatie van de Franse industrie ten aanzien van de productiekwaliteit werd pijnlijk bewaarheid, toen reeds tijdens het uitleverings-traject bleek dat er talloze gebreken aan de AMX kleefden. Na een wisselvallige carrière werden de meeste AMX'en in de jaren zeventig afgedankt. Niemand die daar rouwig om was.

DKW MUNGA

BERGEN-HOHNE (WEST-DUITSLAND), OKTOBER 1965

Een DKW MUNGA (*Mehrzweck Universal Geländewagen mit Allradantrieb*) heeft tijdens een grote oefening van 4 Divisie op het NAVO-oefenterrein Bergen-Hohne zichtbaar moeite met de terreinomstandigheden . Buitenlandse militaire waarnemers zijn zo vriendelijk een duwtje te geven. De MUNGA werd in 1963 bij het Nederlandse leger ingevoerd, als opvolger van de NEKAF Jeep. Hoewel het model al jarenlang bij de Duitse *Bundeswehr* dienst had gedaan en de Duitse afkomst een zekere *gründlichkeit* veronderstelde, bleek de kwarttonner uit de fabrieken van Auto-Union in Ingolstadt een uiterst storingsgevoelig voertuig. De meeste MUNGA's werden vanwege de vele mankementen in 1970 omgewisseld voor de in de mobilisatiecomplexen opgeborgen NEKAF's.

OMGEVING AMERSFOORT, NOVEMBER 1965

Een colonne DAF YA-314 drietonners tijdens een mobilisatieopkomstoefening. De Nederlandse DAF-fabrieken leverden in de jaren vijftig en zestig duizenden vrachtauto's van verschillende typen aan de Nederlandse krijgsmacht. De DAF YA-314 en het licht gewijzigde YA-324 opvolgertype bewezen tientallen jaren goede diensten bij een veelheid aan militaire taken. Daarnaast waren er onder meer de YA-126 eentonner, de zwaardere 'dikke DAF' YA-328, alsmede de zestonners uit de YA-616-serie. Pas vanaf het einde van de jaren zeventig werden deze vertrouwde gezichten, na een loopbaan van soms wel 25 jaar, vervangen door een nieuwe generatie voertuigen. Ook hierbij was DAF als leverancier sterk vertegenwoordigd.

M107 GEMECHANISEERD GESCHUT

De aankomst van de eerste exemplaren van het Amerikaanse 175 mm kanon M107 in de Rotterdamse haven, bestemd voor onder meer de nieuw opgerichte 107 Afdeling Veldartillerie. In de tweede helft van de jaren zestig werd bij de artillerie het geschut dat door vrachtauto's werd getrokken, grotendeels vervangen door gemechaniseerd geschut – kanonnen en houwitsers op een rupsonderstel – met eenzelfde terreinvaardigheid als tanks en pantservoertuigen. De M107 was een modern kanon. De bediening was eenvoudig, en met zijn maximale dracht van dertig kilometer vormde hij de top van wat op dat moment bij de NAVO in gebruik was. Toch voldeed de vuurmond niet in alle opzichten: de nauwkeurigheid liet te wensen over bij doelen op een afstand van meer dan circa zestien kilometer.

TENTOONSTELLING PARAAT

De leger- en luchtmachttentoonstelling *Paraat* op het Vrijthof in Maastricht. Aan de voet van de middeleeuwse Sint-Servaes kon het publiek zich vergapen aan modern materieel zoals de Centurion gevechtstank en brugleggende tank en het nieuwe gemechaniseerde geschut M107, alsmede een Hawk- en een Nike-Herculesraket. Ook de mobiele expositiehal is op de foto goed te zien. *Paraat* was een reizende tentoonstelling ter promotie van de land- en luchtmacht. De tentoonstellingkaravaan, die jaarlijks van april tot juni steeds een week lang in een andere stad halt hield, trok steevast veel bezoekers. In 1966 werd *Paraat* voor de elfde maal gehouden. Het was de voorlaatste editie: in 1967 trok het evenement voor de laatste keer door Nederland.

M113 PANTSERRUPSVOERTUIG

Leerlingen van de Rij- en Tractieschool in Eindhoven oefenen zich in het amfibisch gebruik van het gloednieuwe pantserrupsvoertuig M113A1. Binnen de landmacht was de standaarduitvoering van dit Amerikaanse voertuig, waarvan de verbeterde A1-versie (met dieselmotor) in 1964 in serieproductie was genomen, alleen bij de (pantser)genie in gebruik. De afgeleide types, waaronder de M106 A1 gepantserde mortierdrager, de M577 A1 commandowagen en de M113 C&V (commando en verkenning) waren wijder verspreid en ook bij verkennings-, tank- en artillerie-eenheden ingedeeld. In totaal schafte Nederland ruim zevenhonderd voertuigen uit de M113-familie aan.

BROMMEREXPERIMENT

Soldaten van de Staf van 1 Divisie '7 December' maken tijdens een oefening op de Veluwe bij wijze van experiment gebruik van brommers. Het opnemen van bromfietsen in de materiële uitrusting van de KL was een idee van majoor F. Brouwer van het Opleidingscentrum Infanterie. De brommer zou volgens hem van nut kunnen zijn bij het bestrijden van doorgebroken vijandelijke tanks en pantservoertuigen. De soldaten hebben dan ook een licht antitankwapen bij zich. De soldaten zouden deze tweewielers ongetwijfeld graag hebben opgevoerd om ze nog meer snelheid mee te geven. Maar alle goede bedoelingen ten spijt was de 'buikschuiver' geen militaire carrière beschoren, wat gezien zijn matige terreinvaardigheid niet verwonderlijk is.

• FOTO: G. HOETMER (LFFD)

NEKAF M38A1 GEWONDENTRANSPORT

Een pijnlijke situatie voor de chauffeur van deze NEKAF M38A1 gewonden-transport tijdens een oefening in West-Duitsland. Verkeersongevallen waren vooral tijdens grote oefeningen een veel voorkomend verschijnsel, waarbij niet zelden doden en gewonden te betreuren waren. Onervarenheid en bravoure van de veelal jonge chauffeurs waren een belangrijke oorzaak van wat er op de weg allemaal misging. In dit geval lijkt iedereen het er heelhuids vanaf te hebben gebracht, al lijken de inzittenden nog wat beduusd van wat hen is overkomen. Inmiddels zijn met hun VW-busje twee marechaussees gearriveerd om de schade op te nemen en de toedracht van het ongeluk te onderzoeken.

DAF 33 ORDONNANSVOERTUIG

PLAATS ONBEKEND, CIRCA 1975

Een ordonnans stapt, met een bericht in zijn hand, in zijn dienstvoertuig. De KL gebruikte door de jaren heen een groot aantal verschillende personenauto's. Met name in de jaren zeventig was de typevariëteit groot. Hoewel de landmacht een groot afnemer was van DAF-voertuigen, was de hier getoonde DAF 33 op de kazernes en legerplaatsen een ongebruikelijke verschijning. Of de jeugdige ordonnans, wiens haardracht volledig bij de tijd was, erg ingenomen zal zijn geweest met het hem toebedeelde weinig martiale voertuig – in de volksmond oneerbiedig 'pedaalemmer' of 'truttenschudder' genoemd – valt te betwijfelen. Dienstauto's van de KL heten in militair jargon ook wel KP-auto's, naar de letters in het kenteken.

LEOPARD BRUGLEGGENDE TANK

PLAATS ONBEKEND, CIRCA 1982

De door de Duitse firma Krauss-Maffei ontwikkelde Leopardtank deed eind jaren zestig zijn intrede bij de landmacht. Naast de standaard gevechtstank produceerde het bedrijf ook enkele afgeleide typen, waaronder de bergingstank, de genietank en de brugleggende tank. Deze voertuigen beschikten over grofweg hetzelfde rupsonderstel als de gevechtstank, wat in logistiek opzicht zeer praktisch was. Ook de landmacht schafte in de jaren zeventig een aantal van deze afgeleide typen aan. Hier zien we de brugleggende tank in actie. Een groot voordeel van deze tank ten opzichte van de oudere Centurion bruglegger, die ook bij de KL in dienst was, was dat de brugdelen geen hoge schaarbeweging behoefden te maken, waardoor de tank te allen tijde een laag silhouet behield.

M109 GEMECHANISEERD GESCHUT

PLAATS ONBEKEND, CIRCA 1985

'**W**at dreunt daar op de heide', zo begint het lied van de Nederlandse veldartillerie. Deze woorden zijn zeer van toepassing op deze vurende 155 mm houwitser M109 A2/A3. Deze Amerikaanse vuurmond was een verbeterde versie van de M109, waarvan de landmacht in de jaren zestig een groot aantal exemplaren had aangeschaft. Het grote verschil tussen de oorspronkelijke M109 (zie de foto op pag. 157) en het verbeterde model was dat de laatste een twee meter langere schietbuis had, waardoor de dracht flink was toegenomen. In de tweede helft van de jaren tachtig werd de vuurkracht van de M109 nog verder verbeterd door de invoering van nieuwe munitiesoorten, gewoonlijk aangeduid met de Engelse term *improved conventional munition* (ICM).

YPR-765 PANTSERRUPSVOERTUIG

De YPR-765 bepaalde vanaf het einde van de jaren zeventig in toenemende mate het gezicht van de Nederlandse infanterie. Het is een aan Nederlandse eisen aangepaste uitvoering van een door de Amerikaanse *Food Machinery Company* ontwikkeld pantserrupsvoertuig, dat op zijn beurt op de M113A1 was gebaseerd. De YPR verving vanaf 1978 de in 1963 ingevoerde AMX PRI. Later werd ook het YP-408 pantserwielvoertuig erdoor afgelost. Tot 1989 werden in totaal 2140 exemplaren aan de landmacht geleverd, deels in licentie gebouwd bij een consortium waarin onder meer door DAF werd deelgenomen. Naast het afgebeelde pantserrups infanterievoertuig (PRI) bestonden er verschillende andere uitvoeringen, waaronder een pantserrupsantitank en een uitvoering voor gewondentransport.

LEOPARD 2 EN ALOUETTE

Nadat eind jaren zestig de Leopard 1 bij de landmacht werd geïntroduceerd, leverde Krauss-Maffei in 1982 ook de Leopard 2, die de laatste Centurions en de lichte tanks uit de AMX-familie verving. De Leopard 2, voorzien van een 120mm kanon, bleek een zeer goede tank die de gevechtskracht van de landmacht in de jaren tachtig fors deed stijgen. De helikopter op de foto is een Alouette III, die in oorlogstijd onder meer zou worden gebruikt voor het uitvoeren van verkenningen en het transporteren van gewonden.

PRTL

PLAATS ONBEKEND, 1989

Moderne bescherming tegen het luchtgevaar. Eind jaren zeventig stroomde bij de KL een nieuw en technologisch zeer geavanceerd wapensysteem in, de pantserrups tegen luchtdoelen (PRTL) geheten; een naam die al snel werd verbasterd tot 'pruttel'. De PRTL was het product van een samenwerkingsverband van een aantal buitenlandse en Nederlandse fabrikanten. Zo was het onderstel, dat vrijwel identiek was aan dat van de Leopard 1 gevechtstank, afkomstig van Krauss-Maffei. De twee 35mm snelvuurkanonnen werden door het Zwitserse bedrijf Oerlikon geleverd, terwijl Hollandse Signaalapparaten (HSA) voor de radarapparatuur tekende. De inzetbaarheid van de PRTL was aanvankelijk laag, mede doordat de logistieke ondersteuning van dit complexe wapensysteem te wensen overliet. In de jaren tachtig werden deze problemen geleidelijk overwonnen.

OMGEVING BERGEN/MUNSTER (DUITSLAND), 1990

Een MLRS (*multiple launch rocket system*) vuurt bij duisternis een raket af. Dit wapensysteem is in staat binnen een minuut over een afstand van maximaal dertig kilometer twaalf van dergelijke raketten af te vuren. Boven het doel valt de raket uiteen in 644 kleine subprojectielen die zowel personeel als licht gepantserde voertuigen kunnen uitschakelen. In 1986 bestelde de landmacht 22 van deze meervoudige raketwerpers. De MLRS paste uitstekend in het Koude-Oorlogscenario van een grootschalig conflict op de Noord-Duitse laagvlakte, maar was niet geschikt om te worden ingezet tijdens crisisbeheersingsoperaties. Mede daarom verdween dit wapensysteem in 2004 uit de bewapening.

MORTIER 120 MM

PLAATS ONBEKEND, 1994

Vuursteun in een winters landschap. Leden van een mortierpeloton beschermen tijdens een oefening hun oren bij het afvuren van een 120mm mortier Hotchkiss-Brandt Rayé. Door zijn mobiliteit en zijn hoge vuursnelheid van vijftien schoten per minuut is deze mortier bij uitstek geschikt voor de ondersteuning van infanterie-eenheden. Het bereik van dit wapen is ongeveer acht kilometer. Gelet op zijn gewicht van meer dan vijfhonderd kilo kan de mortier niet worden gedragen, maar moet hij door een voertuig worden getrokken. De Hotchkiss-Brandt Rayé, die van Franse makelij is, wordt ook in veel andere Europese legers gebruikt. Bij de Koninklijke Landmacht werd het wapen in 1968 ingevoerd.

Niets voor claustrofobische mensen, dit interieur van een YPR-765 pantser-rupsantitank (PRAT). De YPR-765 PRAT was een afgeleide van het bekende YPR-765 pantserrups infanterievoertuig. De PRAT, waarvan de bemanning bestaat uit een commandant, een chauffeur, een schutter en een lader, is uitge-rust met een toren met twee lanceerbuizen voor de TOW-antitankraket. Hiermee beschikte de infanterie over een geducht wapen waarmee tot op circa 3,5 kilo-meter vijandelijke tanks en pantservoertuigen konden worden uitgeschakeld. Een groot voordeel van dit wapensysteem, in vergelijking met vroegere varian-ten, was dat men de TOW-raket volledig onder pantser kon afvuren.

AFSTOTING MATERIEEL

Een rij afgeschreven DAF YA-314 drietonners op het Geniecomplex in Hendrik-Ido-Ambacht. De uit de jaren vijftig daterende drietonners van DAF werden in de loop van de jaren zeventig en tachtig geleidelijk vervangen door de modernere DAF viertonner. Dit beeld uit de jaren negentig toont een laatste restant nog niet afgevoerde YA-314's, dat er - afgaande op de algen- en mosgroei - al een tijdje staat. Een klein aantal overgebleven exemplaren van dit type DAF-truck wordt tegenwoordig in ere gehouden door liefhebbers van klassieke legervoertuigen.

OP SCHOOL EN TE VELDE: OPLEIDING EN OEFENING

MANOEUVRES 3E DIVISIE

Een beeld uit de tijd dat legeroefeningen nog 'manoeuvres' heetten: bereden eenheden van de 3e Divisie passeren de Sint-Servaesbrug in Maastricht. Jaarlijks werden omstreeks september grote oefeningen gehouden, waarvoor een aanzienlijk deel van het veldleger uitrukte. Een dergelijk schouwspel bracht veel toeschouwers op de been. De grote manoeuvres vormden de afsluiting van de opleiding van een jaarlichting dienstplichtigen, toen nog 'miliciens' geheten. Aangezien Limburg destijds in het geval van een internationaal gewapend conflict het meest kwetsbare deel van Nederland werd geacht, was het niet vreemd dat ook deze provincie nu en dan het toneel van dergelijke oefeningen vormde.

GELE RIJDERS NIJMEGEN

NIJMEGEN, 17 JULI 1906

Gele Rijders (militairen van het Korps Rijdende Artillerie) trekken tijdens een oefening over een door pontonniers aangelegde pontonbrug naast de spoorbrug over de Waal bij Nijmegen. De in Arnhem gelegerde Rijders waren regelmatig van de partij bij grote legermanoeuvres. Een brugslagoefening als deze, waarbij een belangrijke rivier een dag lang werd afgesloten, vormde een ernstige belemmering voor de scheep- en vlotvaart. Om de overlast enigszins te beperken, werd zij ruim vooraf in de dagbladen aangekondigd, zoals in dit geval onder meer in het *Algemeen Handelsblad* van 4 juli 1906. De pontonniers oefenden ook dikwijls met gierbruggen, die voor minder hinder zorgden.

VESTINGARTILLERIE

PLAATS ONBEKEND, CIRCA 1905

De Haarlemse uitgever Jos. Nuss verwierf aan het begin van de 20e eeuw grote bekendheid met zijn series prentbriefkaarten met onder meer militaire motieven. Zijn bedrijf heette voluit de Haarlemsche photo- en lithografische inrichting 'De Tulp'. De ingekleurde prentbriefkaarten op basis van zwartwitfoto's zijn tegenwoordig populair bij verzamelaars. De vestingartilleristen op deze foto tillen met een hijsinstallatie een mortier met een kaliber van 10 cm op, naar het schijnt om er een onderstel van houten balken onder te bevestigen. Het bijschrift op de foto, dat luidt 'Oefening kanon met krachtwerktuigen', is in ieder geval niet erg verhelderend.

Oefening kanon met krachtwerktuigen.

Jos. Nuss & Co., Haarlem.

WATEROVERSTEEK PER DRIJFZAK

Militairen van het 1e Regiment Huzaren oefenen in het oversteken van een vaart per drijfzak. Hoewel het tafereel een hoog *spel-zonder-grenzen*-gehalte kent, was het op deze manier bedwingen van waterbarrières een serieuze aangelegenheid. Behalve personeel konden ook bewapening en lichte voertuigen met dit hulpmiddel droog de overkant bereiken. In het waterrijke Nederland was de drijfzak een belangrijk deel van de uitrusting, zoals in mei 1940 in de strijd tegen de Duitsers nog duidelijk bleek. De komst van de lichte en snel opblaasbare rubberboot degradeerde dit overzetmiddel uiteindelijk echter tot een relict uit vervlogen tijden.

• FOTOGRAAF ONBEKEND, UITGAVE IMPRIMERIE PHOTOTYPIQUE A. GELLY

OVERZETTEN WIELRIJDERSPATROUILLE

PLAATS ONBEKEND, CIRCA 1915

O fficieren zien toe op het overzetten van een wielrijderspatrouille met een drijf-zak. Veel meer stereotypen ten aanzien van het Nederlandse leger uit de eer-ste helft van de 20e eeuw zullen er niet in één beeld zijn te vangen: het vertrouwen in de kracht van waterhindernissen, de reputatie van het Nederlandse leger als 'fiet-send leger' en het contrast tussen de zwoegende soldaten en de officieren die vanaf het droge toekijken. Het feit dat de twee door een verrekijker turende mannen op de voorgrond hoofdza-kelijk oog lijken te hebben voor iets dat zich ver buiten het kader van deze afbeelding afspeelt, verschaft het tafereel – mede in combinatie met de op een decor-schildering gelijkende achtergrond – thea-trale trekjes.

SCHIETOEFENING VELDARTILLERIE

A an rook en kruitdamp geen gebrek bij deze oefening van de veldartillerie tijdens de mobilisatie 1914-1918. De artilleristen in opleiding schieten hier op het Artillerie Schietkamp (ASK) in Oldebroek met het veldgeschut '8 cm staal' uit 1880. Tijdens deze oorlogsjaren werd bij de artillerie veelvuldig geoefend, deels ook om de gemobiliseerde manschappen bezig te houden en de verveling te verdrijven. Door de officieren en onderofficieren binnen de batterijen werd bovendien nog extra geoefend in de diverse aspecten van de vuurregeling, waarbij ook de op dat moment hypermoderne veldtelefoon een rol van betekenis speelde.

POSTDUIVENDIENST

Al ver voor het begin van onze jaartelling zetten Chinezen en Egyptenaren duiven in voor het onderhouden van hun berichtenverkeer. Ook tijdens de Eerste Wereldoorlog speelden postduiven een rol, onder meer omdat het telefoonkabelnet dikwijls door artilleriebeschietingen werd beschadigd. Bovendien ondervonden de vogels weinig last van gifgassen. In 1887 werd bij het Korps Genietroepen in Utrecht een postduivendienst opgericht, die na enige jaren uitgroeide tot de onder de Generale Staf ressorterende Rijkspostduivendienst. De militair links draagt het mouwembleem van deze dienst. Begin jaren dertig werd vanwege bezuinigingen echter vrijwel niet meer in de inzet van postduiven geïnvesteerd. Per 1 januari 1933 hield de Rijkspostduivendienst op te bestaan.

STORMSCHOOL

Demonstratie van de vlammenspuit bij de 1e Stormschool in Kamp Waalsdorp. In Nederland werd in 1917 begonnen met de opleiding van 'stormtroepen', naar het voorbeeld van soortgelijke eenheden in het Duitse leger. Ze
hadden tot taak tijdens een aanval de weg te effenen voor de in hun kielzog volgende infanterie. Daartoe beschikten ze over geavanceerde strijdmiddelen, zoals
vlammenwerpers en loopgraafmortieren. Op de twee stormscholen in Waalsdorp en in Amersfoort leerden de hiervoor geselecteerde militairen deze wapens
te bedienen, terwijl zij tevens werden getraind in vaardigheden als polsstok-
springen en touwklimmen. De stormscholen vielen in de jaren dertig ten offer
aan bezuinigingen.

TERREINOEFENING WIELRIJDERS

Militairen van een groep wielrijders, ingedeeld bij een mitrailleurpeloton, in een dappere poging hun beladen rijwielen over een 2,20 meter hoge schutting te tillen, als onderdeel van een terreinoefening. Het was de bedoeling alle fietsen binnen de groep - vijf in totaal - binnen drie minuten over de hindernis te krijgen (de tijd om te poseren voor de fotograaf vermoedelijk niet meegerekend). Opvallend is dat op deze foto niet vijf, maar zes militairen zichtbaar zijn; hoe de zesde man zich diende te verplaatsten, is niet geheel duidelijk.

VERNEVELING PONTONBRUG

RHENEN, 10 OKTOBER 1929

Verneveling van een pontonbrug over de Rijn bij Rhenen tijdens een grote najaarsoefening in 1929. Het leggen van rookgordijnen diende om de effectiviteit van vijandelijke beschietingen tijdens de aanleg en het gebruik van de brug te verminderen. Vanuit de lucht is aardig in te schatten wat de impact van een dergelijke pontonniersoefening op de omgeving en op de scheepvaart moet zijn geweest. Rhenen met zijn opvallende Cuneratoren wordt door de rook deels aan het zicht onttrokken. Op de achtergrond is de spoorbrug – die de Tweede Wereldoorlog niet zou overleven – nog net te zien.

127

BAJONETSTOTEN

KAMP WAALSDORP, CIRCA 1930

Een leerling van de Stormschool in Waalsdorp bekwaamt zich in het bajonet-stoten. Hij is bewapend met het toenmalige standaardgeweer van het Nederlandse leger, de M95. Daarnaast beschikten de stormmannen over de zogeheten 'wielrijderskarabijnen', alsmede het speciale, bij de Artillerie-Inrichtingen aan de Hembrug vervaardigde loopgraafgeweer. Naast de bajonet deed in 1918 bij de stormtroepen de stormdolk zijn intrede. Dit korte steekwapen werd bij de Artillerie-Inrichtingen vervaardigd van oude spoorrails. Hoewel de stormtroepen waren bedoeld als keurkorps, beperkte de materieel- en munitie-schaarste doorgaans de mogelijkheden om intensief te oefenen.

OEFENTOCHT VELDARTILLERIE

Het 6e Regiment Veldartillerie (6 RVA) betreedt de gloednieuwe Afsluitdijk. Het in Leiden gelegerde regiment maakte in juni 1933 een zesdaagse oefentocht door het noorden van Nederland. De verplaatsing van een voltallig regiment, bestaande uit bijna 750 manschappen en een gelijk aantal paarden, was een forse onderneming die kon rekenen op grote publieke belangstelling. 'Deze tocht is zeer nuttig geweest als propaganda voor het Leger', oordeelde het tijdschrift *De Militaire Spectator* dan ook. Nadat 6 RVA de Afsluitdijk aan de Friese zijde had verlaten, ging de mars verder via onder meer Bolsward, Sneek en Steenwijk naar de Legerplaats Oldebroek. Daar op de uitgestrekte heide sloten de artilleristen hun campagne af met een aantal schietoefeningen.

OEFENING LICHTE BRIGADE

De Lichte Brigade in actie in het Brabantse land. Op de voorgrond houdt een mitrailleurgroep van huzaren-motorrijder zich schuil, terwijl op de achtergrond een op een Morris-onderstel gebouwde Wijnman-pantserwagen, de *Buffel* geheten, een autobus passeert. Van deze door de artillerieofficier J. Wijnman ontworpen voertuigen had het leger er drie in de bewapening. De overige twee droegen de namen *Bison* en *Wisent*. Ze waren met een of meer mitrailleurs uitgerust. De *Buffel* behoorde tijdens deze oefening tot de blauwe troepen die tussen Den Bosch en Breda in een fictief gevecht verwikkeld waren met de rode troepen. Let op de stukken textiel om de helmen van de huzaren-motorrijder. De kleur ervan gaf aan tot welke partij zij behoorden.

• FOTO: S.H.A.M. ZOETMULDER (?)

LIJNPLOEG VERBINDINGSTROEPEN

PLAATS ONBEKEND, CIRCA 1935

Het kost deze lijnploeg van de verbindingstroepen zichtbaar moeite een kabel-kar de helling op te slepen. Lijnploegen, bestaande uit een aantal lijnwerkers, hadden tot taak de verbindingsinfrastructuur (de lijnen) tussen verschillende eenheden en hun hoofdkwartieren tot stand te brengen. Wanneer eenheden tijdens een oefening in rap tempo steeds weer nieuwe posities betrokken, hadden de lijnwerkers hun handen vol aan het uitleggen en weer innemen van de kabels. Hun werk werd nog zwaarder als zij moesten voldoen aan de operationele eis dat de lijnen in sleuven moesten liggen of zelfs volledig moesten worden ingegraven, om zo de telefoonverbindingen minder kwetsbaar te maken voor de uitwerking van vijandelijk vuur.

PANTSERRUPSVOERTUIG RIJDENDE ARTILLERIE

De inzet van een ingegraven Vickers Carden Lloyd pantserrupsvoertuig tijdens een oefening. Van de Vickers Carden Lloyd waren in 1932 vijf exemplaren ten behoeve van het Korps Rijdende Artillerie aangeschaft. De voertuigen kregen namen van katachtige roofdieren: *Jaguar*, *Luipaard*, *Panter*, *Poema* en het hier afgebeelde commandovoertuig *Lynx*. Deze kleine, wendbare voertuigen waren bij uitstek geschikt om verkenningstaken uit te voeren. Op de weg konden ze een topsnelheid van 45 kilometer per uur bereiken, in het terrein 20 kilometer per uur. Hun lichte bepantsering bood alleen bescherming tegen geweer- en mitrailleurvuur.

Een vijftal officieren buigt zich over een stafkaart tijdens meerdaagse manoeuvres van het Veldleger in Gelderland en Overijssel, gehouden van 20 tot 24 september 1937. Te zien zijn, van links naar rechts, kolonel J.J. van Santen, luitenant-generaal J.J.G. baron van Voorst tot Voorst (commandant van het Veldleger), kapitein V.E. Nierstrasz, luitenant-kolonel Th.J. Reeser en - met sigaar - de latere minister van Oorlog, eerste-luitenant A.H.J.L. Fiévez. Het geïmproviseerde hoofdkwartier dat het decor voor het tafereel vormt, was gevestigd in Hotel Wientjes in Zwolle, dat nog steeds bestaat. Sigaarrokende officieren worden er echter niet meer aangetroffen.

SEINLAP

Een groepje militairen van een verbindingseenheid maakt haast met het bedekken van een U-seinlap die de positie van de eenheid aan de eigen vliegers duidelijk moet maken. Het aanbrengen van dergelijke markeringen was – in een tijdperk van beperkte communicatiemogelijkheden – van groot belang om voorraden op de juiste locatie gedropt te krijgen, maar vooral ook om te voorkomen dat vliegtuigen hun eigen troepen zouden bombarderen. Voor vijandelijke vliegtuigen moesten de posities van de eigen troepen daarentegen juist verborgen blijven. Een paar dennentakken waren een snelle remedie om het baken aan het oog te onttrekken.

WIELRIJDERS VELDLEGER

Het Nederlandse leger van de jaren dertig werd wel 'het fietsende leger' genoemd. En foto's waarop militaire wielrijders te zien zijn die pelotonsge-wijs ons vlakke land doorkruisen, lijken het gelijk van die bijnaam te bewijzen. Maar uniek was Nederland daarin niet, want ook in de legers van andere landen was het rijwiel een veelgebruikt vervoermiddel; relatief goedkoop, eenvoudig in het onderhoud en bijzonder nuttig, want fietsen gaat nu eenmaal een stuk snel-ler dan lopen. De foto is een momentopname uit een grote oefening van het Veldleger in Zuid-Nederland in december 1939. Een compagnie wielrijders rijdt langs het Drongelens Kanaal.

• FOTO: R.K. FOTOPERSBUREAU 'HET ZUIDEN'

GENEESKUNDIGE TROEPEN

PLAATS ONBEKEND, CIRCA 1940

Een sfeerbeeld van de inzet van Geneeskundige Troepen tijdens een oefening te velde. Meestal moesten de gewonden, voor zover zij niet zelf konden lopen, door ziekendragers – al dan niet op een draagbaar – naar een verbandplaats worden gedragen. Elk onderdeel had hiervoor een aantal (hulp)ziekendragers in zijn gelederen. Daarnaast beschikte de landmacht over militairen van de Geneeskundige Troepen (tot 1936 hospitaalsoldaten geheten, waarvan de naam hospikken is afgeleid). Zij verleenden eerste hulp en verpleegden gewonden en zieken. Rechts achteraan is een sergeant van de Geneeskundige Troepen te zien, herkenbaar aan zijn kraagembleem, armband en tas met het embleem van het Rode Kruis.

WINTERSE CAMOUFLAGE

PLAATS ONBEKEND, JANUARI 1940

In witte camouflage gestoken infanteristen op oefening in een besneeuwd landschap. Het Nederlandse leger beschikte destijds niet over camouflage-pakken voor winterse omstandigheden. In dit manco werd op creatieve wijze voorzien, bijvoorbeeld door onderkleding over het uniform aan te trekken. De militairen op de foto hebben hun toevlucht tot witte lakens genomen. Uiteinde-lijk bleek al dit geïmproviseer vergeefse moeite. Toen de Duitse troepen in mei 1940 binnenvielen, was het volop voorjaar. Het bouwwerk waarop het groepje militairen op deze foto afloopt, is een ander voorbeeld van camouflage: wat van-uit de verte een hooiberg moet lijken, is in werkelijkheid een betonnen groeps-schuilplaats.

KADEROPLEIDING ENGELAND

Daimler Mk1 pantservoertuigen in heuvelachtig terrein tijdens een kaderopleiding van Nederlandse oorlogsvrijwilligers in Catterick Camp in het Noord-Engelse graafschap Yorkshire. Vanaf januari 1945 vonden in dat land opleidingen plaats voor het kader van de zogenoemde Expeditionaire Macht, die aanvankelijk bestemd was voor de herovering van Nederlands-Indië. Voor de grote groepen dienstplichtigen die vanaf voorjaar 1946 aantraden, was een opleiding op Brits grondgebied niet weggelegd, maar het inmiddels beschikbare kader, dat wel in Engeland was geschoold, bracht de daar opgedane stof volgens eenzelfde model op hen over. In de jaren daarna werden incidenteel nog officieren en onderofficieren naar Engeland gezonden om een opleiding te volgen.

KIJKDUIN, ZOMER 1947

Militairen van het Indisch Instructie Bataljon (IIB) krijgen met behulp van een diorama onderricht in de Indische terreingesteldheid. Het IIB werd op 1 april 1946 opgericht, met als doel militairen na hun basisopleiding aanvullend onderricht te geven in de bijzondere aspecten van het militair optreden in Neder-lands-Indië. Ook onderwerpen als Maleise land- en volkenkunde en tropenhygië-ne stonden op het programma. Het bataljon was aanvankelijk gevestigd op het Julianakamp in Kijkduin aan de rand van Den Haag, dat later vooral bekendheid kreeg als MILVA-kamp, de thuisbasis van de Militaire Vrouwenafdeling van de landmacht.

JAN SOLDAAT

Een prachtige strakke plaat van een heldhaftig ogende Nederlandse soldaat. De foto is onderdeel van een grote serie die werd vervaardigd ten behoeve van een Legertentoonstelling. Deze tentoonstelling reisde in de zomer van 1948 langs een aantal grote steden. Aan de tentoonstelling had de in 1946 opgerichte Leger Film- en Fotodienst (LFFD) een geweldige kluif, waarvoor extra dienstplichtigen met kennis van fotografie moesten worden geselecteerd. Het resultaat van die gerichte zoekactie mocht er zijn, want er werd een aantal getalenteerde jonge fotografen aan de LFFD verbonden. De opdracht gaf de dienst mede daardoor een sterke kwaliteitsimpuls.

HINDERNISSEN OVERWINNEN

Het motto 'waarom makkelijk doen als het ook moeilijk kan' lijkt van toepassing op het hier getoonde beeld. De legerorganisatie is altijd creatief geweest in het uitdenken en bouwen van allerhande hindernissen, die niet alleen de atletische kwaliteiten van de militair, maar ook het probleemoplossend vermogen en de communicatie- en samenwerkingsvaardigheden binnen de groep op de proef stellen. Bij de oefening op de foto gaat het erom een boomstam van de ene paal naar de andere te krijgen zonder de grond te raken. De instructeur ziet toe hoe een en ander verloopt en probeert wellicht ook vast te stellen wie van de militairen zich het meest als leider manifesteert.

HERHALINGSOEFENING DRIETAND

Met hun plunjebaal op de schouder melden reservisten zich bij een school aan de Haagse Escamplaan voor de grote mobilisatie-opkomstoefening *Drietand* van de mobilisabele 3 Divisie. De landmachtleiding wilde de NAVO-waarnemers tonen dat de mobilisabele eenheden voldoende snel operationeel inzetbaar konden zijn. Daartoe werden, na een voormobilisatie op maandag, op dinsdagochtend 4 augustus 1953 15.000 man opgetrommeld, van wie het overgrote deel binnen de gewenste termijn van één etmaal aan de oproep gehoor gaf. Na transport op woensdag, het inrichten van het bivak op donderdag en het betrekken van de stellingen op vrijdag, was de divisie op vrijdagavond gevechtsgereed.

HERHALINGSOEFENING DRIETAND

Ongewapende militairen steken tijdens de herhalingsoefening *Drietand* via een drijvende brug in looppas een waterhindernis over. Tijdens de oefening werd het Korps Commandotroepen als oefenvijand ingezet om op verschillende plaatsen te proberen de Maas over te steken en in het divisiegebied te infiltreren. Voor het oog van internationale waarnemers weerden de reservisten zich kranig en wisten ze de meeste aanvallen af te slaan. Binnen de NAVO, waar veel twijfel bestond over de gevechtsgereedheid van mobilisabele eenheden, ontstond door het goede optreden van 3 Divisie tijdens *Drietand* meer waardering voor deze categorie militairen.

NAVO-OEFENING GRAND REPULSE

Nederlandse marechaussees brengen in Nordhorn, net over de Duitse grens, wegmarkeringen aan voor eenheden die gaan deelnemen aan de grote NAVO-oefening *Grand Repulse* in de Britse zone in Noordwest-Duitsland. Het Eerste Legerkorps werkte tijdens deze oefening nauw samen met Britse en Canadese eenheden. Het NAVO-opperbevel toonde zich achteraf tevreden over de Nederlandse inzet. Op materieelgebied werden in de jaren vijftig goede vorderingen gemaakt, onder meer dankzij Amerikaanse wapenleveranties. Dat nam niet weg dat er af en toe nog wel eens een remlichtje niet werkte, getuige de op de aanhanger gekalkte waarschuwingstekst. En dat uitgerekend bij de Koninklijke Marechaussee...

KLEINE OORLOG

Landmachtofficieren nemen deel aan de tweeweekse gevechtscursus *Kleine Oorlog*, die werd verzorgd door het Korps Commandotroepen (KCT). Deze cursus was gestart in 1954. In later jaren namen er ook onderofficieren aan deel. De bedoeling van de cursus was de beroepsmilitairen te trainen in 'ontsnappen, ontwijken en overleven' voor het geval zij in oorlogstijd onverhoopt in vijandelijk gebied terecht zouden komen; vaardigheden die tot de specialismen van de commando's behoren. Het was voor de meeste deelnemers een in fysiek en geestelijk opzicht zware uitdaging. Aspirant-cursisten wendden nog wel eens lichamelijke klachten voor om onder bepaalde programmaonderdelen uit te komen. In 1964 werd *Kleine Oorlog* tot opluchting van menig beroepsmilitair wegbezuinigd.

OEFENING PANTA REI

Twee DAF YA-328 vrachtwagens, waarvan de laatste een 25-ponder-kanon trekt, steken op een tankvlot klasse 60 de Maas over tijdens de grote oefening *Panta Rei* van 4 Divisie. *Panta Rei* was de grootste legeroefening op Nederlands grondgebied sinds *Drietand* uit 1953. Liefst 11.000 manschappen en 2000 voertuigen werden ingezet. Dergelijke omvangrijke oefeningen bleven bij de plaatselijke bevolking uiteraard niet onopgemerkt. Op de voorgrond van deze foto verjaagt een militair de wat al te opdringerig geworden dorpsjeugd. Legeroefeningen droegen vaak met veel fantasie gekozen namen. Met de naam van deze oefening – Grieks voor 'alles stroomt' – wilde de legerleiding aangeven dat de oorlogvoering alsmaar beweeglijker werd.

Niet bepaald een alledaags beeld van een oefenende eenheid: administrateurs van 41 Technische Dienst Bataljon werken tijdens de oefening *Panta Rei* met de Saldo Quick ponsmachine. De Saldo Quick was in 1959 een noviteit, waarmee onder meer de procedures rondom het voorraadbeheer te velde konden worden vereenvoudigd. Met behulp van de eveneens aanwezige telex kon het onderdeel dat de goederen moest verzenden, worden aangestuurd. De Saldo Quick werd ook ingezet bij de personeelsadministratie. De administrateurs werken tijdens de oefening vanuit vrachtauto's, zodat ook zij zich snel kunnen verplaatsen wanneer het strijdverloop daartoe aanleiding geeft.

BIVAK MOURMELON

Militairen van 14 Bataljon Infanterie zetten hun puptentjes op in Mourmelon, dat in de zomer van 1959 de eerste halteplaats vormde op de reis naar het oefengebied bij La Courtine. Het was het eerste jaar dat de landmacht deze grote verhuizing ondernam. De redactie van de *Legerkoerier* besteedde er in kleurrijke bewoordingen vele pagina's aan: 'Het ritmische geklop van honderden pionierschoppen op even zovele tentharingen vormden [sic] een wonderlijke muziek, die dit eerste bivak op Franse bodem inluidde. Weldra ook stroomde uit 600 kranen het door een bovengrondse pijpleiding aangevoerde was- en drinkwater, dat stof en zweet deed verdwijnen'.

BRUGGENSCHOOL

Een groep cursisten van de Bruggenschool verlaat een tweetal kleine genie-boten. Om genisten vertrouwd te maken met aanvalsboten, lichte vlotten en diverse soorten brugslagmaterieel, werd in 1959 de Bruggenschool (her)opgericht. Kort na de Tweede Wereldoorlog had deze school ook al bestaan, destijds gevestigd in Gorinchem. De Bruggenschool beschikte vanaf 1959 bij het aan de Maas gelegen Hedel over een goede locatie om de parate troepen in een opleidingstijd van enkele weken in de omgang met vaartuigen en het bouwen van bruggen te bekwamen. Natte voeten of soms zelfs een heel nat pak waren niet te vermijden.

• FOTO: J.J. HERSCHEL (LFFD)

149

PARACHUTISTENOPLEIDING

Een parachutist staat op het punt het vliegtuig te verlaten. Het standpunt van de fotograaf verschaft de foto veel dynamiek. Parachutespringen is traditioneel het domein van het Korps Commandotroepen (KCT). Toch duurde het tot de jaren zestig voordat het een vast onderdeel van de commando-opleiding werd. Aanvankelijk vond de paraopleiding in het Belgische Schaffen plaats, omdat in Nederland parachutespringen verboden was. In het Schaffense Bekwamingscentrum voor Parachutage brachten Belgische instructeurs de commando's de beginselen van de sprong-, val- en landingskunst bij. In 1966 kwam er een nieuwe *Luchtvaartwet* die het parachutespringen in Nederland niet langer verbood. Aangezien de opleiding in België prijzig was, opende het KCT nog in datzelfde jaar op Vliegbasis Gilze-Rijen een eigen parachutistenschool.

EDE, APRIL 1962

Tijdens oefeningen van de verbindingsdienst was er steevast veel aandacht voor het gecamoufleerd opstellen van de voertuigen met apparatuur en het verdekt plaatsen van de antennes, omdat het van het grootste belang was dat dit materieel vanuit de lucht niet kon worden waargenomen. Zoals de foto laat zien, vereiste dit werk nogal wat behendigheid. Hier zijn 'verbindelaars' bezig met het in stelling brengen van een DAF YA-328, die in zijn opbouw een groot-vermogen radiotelex van het type AN/GRC 26A herbergt. In Ede was toentertijd het depot oftewel het opleidingscentrum van de verbindingsdienst gevestigd.

KONVOOI NAAR LA COURTINE

De jaarlijkse karavaan van Nederlandse legervoertuigen rijdt door een Frans stadje. Het is zomer 1963. De landmacht oefent voor het vijfde jaar op rij in het Franse kamp La Courtine. Daarmee was dit oefenterrein inmiddels een begrip geworden, niet alleen bij de militairen, maar bij de gehele Nederlandse bevolking. Het hoogtepunt van nationale faam bereikte de Franse legerplaats in 1964, toen Rijk de Gooyer een grote hit scoorde met zijn hilarische single *Brief uit La Courtine*. De tekst van het openingscouplet - 'Beste ouders, lieve Ine/Ik schrijf dit uit la Courtine/Dat was lachen onder 't eten/Onze generaal is door een slang gebeten' - is illustratief voor de wijze waarop in Nederland de verhouding tussen volk en krijgsmacht werd ervaren.

OEFENING AUTOMNE

'**M**et naald en draad paraat', ofwel: weer eens een ander en nogal ongewoon beeld van het oefenende leger. 105 Intendance Herstelcompagnie
heeft in het kader van de oefening *Automne* de Legerplaats Eefde verruild voor
een verblijf in een grote tent onder de in herfstkleuren getooide boomkruinen.
Doordat dit onderdeel een vredestaak had in de vorm van het leveren van een
constante capaciteit op het gebied van schoenen- en kledingherstel, was het bij
dergelijke oefeningen van belang de productie niet in gevaar te brengen en de
zaken zo rimpelloos mogelijk te laten verlopen.

ONDERWATERVERKENNING

Terwijl op de achtergrond het M113A1 pantserrupsvoertuig zijn amfibische kwaliteiten demonstreert, maakt een duiker van 901 Torpedistencompagnie zich op de voorgrond klaar om het water van een heel andere kant te bekijken. De invoering van voertuigen die op eigen kracht waterhindernissen konden oversteken, betekende voor de genie in zekere zin een ontlasting, omdat er daardoor minder brugslagcapaciteit nodig was. Maar er kwamen ook taken bij, want duikers moesten voorafgaand aan een amfibische oversteek onderwaterverkenningen uitvoeren en eventuele obstakels en mijnen ruimen.

VUURDOOP ISK

Infanteristen op de gevechtsbaan van het Infanterieschietkamp (ISK) in Harskamp tijdens hun zogeheten 'vuurdoop'. Over hun hoofden wordt uit twee .30 mitrailleurs met scherpe munitie geschoten, om de realiteit van het gevechtsveld zo goed mogelijk na te bootsen. De gevechtsbaan in Harskamp was de enige in zijn soort in Europa. Na het afleggen van een parcours met hindernissen mochten de soldaten – als zij erin waren geslaagd hun wapen vrij van zand te houden – in de laatste loopgraaf op ballonnen schieten. Het was daarbij zaak de ademhaling weer goed onder controle te krijgen.

• FOTO: H.H. VAN EYBERGEN (LFFD)

NAVO-OEFENTERREIN

Een AMX PRI pantserrupsvoertuig, met op de achtergrond twee Centurion-tanks, tijdens de oefening *Sal-Vri-Bart* van 1 Divisie '7 December'. Plaats van handeling is het NAVO-oefen- en schietterrein Bergen-Hohne, waar de land-macht al sinds 1951 regelmatig acte de présence gaf. Op deze locatie konden tank- en verkenningseenheden de oorlogsomstandigheden het meest realistisch nabootsen, en dan vooral tijdens een zogeheten *battle run,* waarbij een tankpe-loton rijdend en schietend voorwaarts ging. De foto toont overigens niet deze *battle run*, maar geeft wel een fraai beeld van het uitgebreide 'wegennet' voor rupsvoertuigen dat bij Bergen-Hohne beschikbaar was.

• FOTO: G. HOETMER (LFFD)

OEFENING WIEL-TREK

M109 gemechaniseerd 155 mm geschut in een imposante opstelling tijdens de oefening *Wiel-Trek* van 4 Divisie, waarvoor werd uitgeweken naar een gebied ten westen van de Weser in West-Duitsland. Oefenen op de openbare weg had voordelen ten opzichte van oefenen op de in omvang beperkte oefenterreinen, maar tijdens deze warme meidagen bleken ook de nadelen: door de hoge temperaturen dreigden de tracks van de vierhonderd deelnemende rupsvoertuigen het asfalt te zeer te beschadigen. De oefening moest op een van de oefendagen uit vrees voor te hoge schadeclaims zelfs tijdelijk worden 'bevroren'. Voor de liefhebber: het apparaat op de voorgrond is een collimator, waarmee de hoofdrichting van de vuurmond wordt verzekerd.

AANVALSOEFENING

Pantserinfanteristen van het Opleidings Centrum Infanterie (OCI) te Harder-wijk verlaten tijdens een aanvalsoefening op het Infanterieschietkamp (ISK) in Harskamp een DAF YP-408 pantserwielvoertuig. Het ISK werd in 1899 opge-richt, omdat door de invoering van het geweer M95, dat een dracht van 1500 meter had, de garnizoensschietbanen, die doorgaans slechts 200 meter lang waren, niet meer voor geweerschieten konden worden gebruikt. Na de Tweede Wereldoorlog werd het kamp gefaseerd uitgebreid en vanaf de jaren zestig tevens voor pantservoertuigen (rups en wiel) geschikt gemaakt, zij het dat de ruimte er beperkt was.

OEFENING BIG FERRO

OMGEVING OSTENHOLZ (WEST-DUITSLAND), 15 SEPTEMBER 1973

Een stereotiep beeld van de Nederlandse dienstplichtige in de vrijgevochten jaren zeventig: met lang haar een krantje lezend. Maar schijn bedriegt: het betreft een achterhoedetafereel tijdens *Big Ferro*, een tiendaagse 'monsteroefening' van het Eerste Legerkorps in het noorden van Duitsland. De opzet van deze oefening stond juist garant voor zo min mogelijk duimendraaien. Voor het eerst werd bij een NAVO-troepenoefening in Europa op legerkorpsniveau geoefend in de *free-battle*-stijl. Hierbij waren niet, zoals tot dan toe gebruikelijk, alle troepenbewegingen in een draaiboek vastgelegd, maar werd de commandanten een grote mate van handelingsvrijheid gegund. De 24.000 deelnemende Nederlandse militairen dwongen met deze enthousiast uitgevoerde oefenopzet internationaal respect af.

OEFENING VOC

Leerlingen van het Verbindingsdienst Opleidingscentrum (VOC) oefenen met twee DAF YA-126 eentonners en een NEKAF Jeep met radioapparatuur bij een schaapskooi op de Ginkelse hei bij Ede. De in Ede gelegerde 'verbindelaars' oefenen met grote regelmaat in het nabijgelegen heidegebied en daardoor waren zij voor de schapen blijkbaar een vertrouwde verschijning geworden.

BRANDSTOFLOGISTIEK

PLAATS ONBEKEND, CIRCA 1975

Militaire oefeningen en operaties vereisen een omvangrijke logistieke inspanning om de gevechtseenheden te ondersteunen. Hier zien we militairen van de intendance in de weer met een onafzienbare hoeveelheid jerrycans. Deze uit de Tweede Wereldoorlog daterende opslag- en transportcontainer speelde lange tijd een belangrijke rol bij de distributie van brandstof te velde. Pas in de jaren tachtig werd de jerrycan grotendeels overbodig, doordat de landmacht vanaf toen in de gehele logistieke keten, tot de voorste eenheden aan toe, bulkbevoorrading per tankauto ging toepassen. Dit bespaarde heel veel 'handjes'. Het bekende 'slingeren' met de jerrycans ging tot het verleden behoren.

OEFENING SAXON DRIVE

In september 1978 werd de grote internationale legerkorpsoefening *Saxon Drive* gehouden. Deze oefening van het Eerste Legerkorps vond onder bijzonder natte weersomstandigheden plaats, wat haar de bijnaam *Saxon Drijf* opleverde. Het gebruikelijke kamperen werd onder deze condities een minder plezierige ervaring, maar Jan Soldaat sloeg zich dapper door de ontberingen heen. De *Legerkoerier* citeerde in het novembernummer van 1978 in dit verband korporaal der eerste klasse J. Mulder: 'We zaten er nu eenmaal in en dachten laten we het maar gezellig maken'. De soldaat links in het tentje doodt de tijd met het voorlichtingskrantje over de oefening, terwijl zijn buurman een Uzi-pistoolmitrailleur in de aanslag houdt.

OEFENSCHADE

WEST-DUITSLAND, CIRCA 1980

Zeker vanuit de lucht is het een mooi gezicht, deze pantserrups tegen lucht-doelen (PRTL) die tijdens een oefening een akker is opgereden. Maar de foto toont ook duidelijk de keerzijde van het buiten de oefenterreinen optreden met zwaar materieel. De schade die aan de omgeving werd toegebracht kon stevig in de papieren lopen, ondanks het feit dat de militairen op het hart werd gedrukt vernielingen zoveel mogelijk te vermijden. Bovendien oefende men bij voorkeur in het najaar, als de oogst binnen was. Helaas bleken niet alle akkers dan al leeg te zijn. Gelukkig voor de gedupeerden bestonden er goede schaderegelingen. Tijdens de oefeningen waren er speciale schadecommissarissen actief die de aan-gerichte vernielingen registreerden.

GRANAATWERPEN

PLAATS ONBEKEND, CIRCA 1985

Opkomen 'voor je nummer' betekende niet alleen het aanleren van tal van individuele vaardigheden. Hier brengen dienstplichtigen met veel overgave het onderdeel 'granaatwerpen' in praktijk. Oefenen met het gooien van handgranaten gebeurde meestal met ongevaarlijke oefenprojectielen (zoals op de foto), maar incidenteel ook met scherpe granaten. Het feit dat er, om ongelukken te voorkomen, in een kort tijdbestek op juiste wijze een aantal handelingen moet worden verricht, kon voor veel stress zorgen bij de dienstplichtigen. Het oefenen met echte handgranaten was dan ook niet van gevaar ontbloot en daardoor voor zowel soldaten als instructeurs een spannende gebeurtenis.

NACHTELIJKE SCHIETOEFENING

BERGEN-HOHNE (WEST-DUITSLAND), MEI 1987

Vuurwerk met knaleffecten: een nachtelijke schietserie in Bergen-Hohne. Aan schot zijn de Leopards 1–V van het B-eskadron van 11 Tankbataljon. Schieten bij nacht is altijd goed voor veel akoestisch en visueel spektakel, en daarmee voor iedere tankbemanning een hoogtepunt uit de diensttijd. De 'V' in de typeaanduiding van de Leopards stond voor 'verbeterd', maar het moderniseringsprogramma van de eind jaren zestig aangeschafte tanks was in de praktijk zo moeizaam verlopen dat vele betrokkenen vonden dat 'verprutst' meer op zijn plaats was. Bovendien waren niet alle doelstellingen gehaald. Zo bleef door het ontbreken van moderne warmtebeeldapparatuur het nachtschieten met deze tank een primitieve aangelegenheid.

OEFENING FREE LION

Nederlandse militairen, belast met de bewaking van een brug, zorgen voor wat extra levendigheid in het straatbeeld van een van de Duitse gemeenten waar de oefening *Free Lion* zich afspeelt. Naast hen ligt een Dragon antitankwapen. De voorbijfietsende *Grossmutti* heeft al zo vaak oefenende militairen in haar dorp gezien dat zij van het spektakel niet meer opkijkt. Wat zij echter niet kon weten, was dat dit soort grote manoeuvres op West-Duits grondgebied heel spoedig tot het verleden zouden gaan behoren als gevolg van de plotselinge val van de Berlijnse Muur. *Free Lion* was de laatste vijfjaarlijkse oefening van het Nederlandse Eerste Legerkorps in het tijdperk van de Koude Oorlog.

ROTSKLIMMEN

MARCHE LES DAMES (BELGISCHE ARDENNEN), 1991

Al sinds 1950 oefenen Nederlandse commando's het beklimmen en afdalen van rotsen in Marche les Dames. Ook het op grote hoogte oversteken van waterhindernissen kan daar uitstekend in praktijk worden gebracht. Niet voor niets behoort het niet hebben van hoogtevrees tot de selectie-eisen van het Korps Commandotroepen. Tijdens hun verblijf in de Ardennen verblijven de Nederlands commando's bij hun Belgische collega's van de paratroepen, die hier hun thuisbasis hebben. Marche les Dames is binnen de gemeenschap van de 'groene baretten' net zo'n bekend begrip als bijvoorbeeld Roosendaal of het Schotse Achnacarry.

NBC-OEFENING

PLAATS ONBEKEND, 1992

In de jaren tachtig nam de aandacht voor nucleaire, biologische en chemische (NBC) wapens toe, onder meer door geruchten over grote hoeveelheden chemische strijdmiddelen in het Oostblok. Dit leidde binnen de landmacht tot een verbetering van de NBC-uitrusting. De militairen op de foto zijn overigens niet echt NBC-proof, omdat zij verder geen beschermende kleding dragen. Het plaatje zal veel oud-dienstplichtigen niettemin bekend voorkomen; tijdens een (speed)mars hoor je plotseling de kreet 'gas, gas, gas', waarna je als de donder je gasmasker moet opzetten. En zo liep je verder, totdat het sein velig klonk. Toen de foto werd gemaakt, behoorde de Koude Oorlog – en daarmee ook de meest directe NBC-dreiging – reeds tot het verleden.

OEFENING LUCHTMOBIELE BRIGADE

Nederlandse luchtmobiele troepen maken tijdens een oefening gebruik van ingehuurde Duitse Sikorsky CH-53 transporthelikopters. Het Duitse leger schoot in de beginjaren van de Luchtmobiele Brigade regelmatig met materieel te hulp, in afwachting van de ingebruikneming van de door Nederland aangeschafte heli's. Sinds het begin van de jaren negentig heeft het luchtmobiele optreden een structurele plaats binnen de landmacht verworven, met dien verstande dat, als het om deze vorm van inzet gaat, er sprake is van nauwe samenwerking met de Koninklijke Luchtmacht.

OEFENING MAINCHAIN

Herstructurering en verkleining waren vanaf het einde van de Koude Oorlog sleutelbegrippen binnen de landmacht. De logistieke oefening *Mainchain*, die in november 1994 werd gedraaid, stond in het teken van de reorganisatie van het materieellogistieke functiegebied binnen de KL. Het Legerkorps Logistiek Commando (LLC) werd opgeheven, waarna 300 Materieeldienstbataljon een deel van de LLC-taken op zijn bordje kreeg. Om met dit nieuwe takenpakket vertrouwd te raken, zette het bataljon op de Luitenant-kolonel Tonnetkazerne in 't Harde *Mainchain* op touw. De deelnemers kregen tijdens deze oefening tal van reparatieproblemen voorgeschoteld.

BLOED, ZWEET EN TRANEN: INZET EN BIJSTAND

SPOORWEGSTAKING

Militairen bij het Paleis op de Dam in Amsterdam tijdens de laatste dagen van de spoorwegstaking van 1903. Deze staking begon eind januari bij de twee grote spoorwegbedrijven die Nederland toen rijk was. De actie had snel succes, de eisen werden ingewilligd, maar daarmee was de strijd nog niet gestreden. Nadat de regering een aantal wetsvoorstellen had ingediend met daarin onder meer een stakingsverbod voor overheidspersoneel, legde het spoorwegpersoneel in april opnieuw het werk neer. Ditmaal liep de staking echter op een mislukking uit, mede doordat veel arbeiders bang waren voor de harde hand van de politie en het door het burgerlijk gezag te hulp geroepen leger.

OVERSTROMING

Pontonniers, gehuld in witte werkkleding, verlenen bijstand na een overstroming. In de constante strijd tegen het water leverde de landmacht regelmatig calamiteitenhulp. Deze foto werd als ingekleurde prentbriefkaart door de bekende Haarlemse firma Jos. Nuss & Co. uitgegeven. Hoogstwaarschijnlijk is deze opname in maart 1906 op Tholen gemaakt, toen dit eiland en andere delen van Zeeland door een watersnoodramp werden getroffen. Zoals we kunnen zien, beschikten de pontonniers in die tijd nog niet over mechanische hulpmiddelen. Het werk moest hoofdzakelijk met de schop en de kruiwagen worden gedaan.

MISSIE ALBANIË

Dat landmachtmilitairen ook vroeger soms al ver buiten de landsgrenzen actief waren, bewijst deze foto uit 1914 van een Nederlandse officier in een dorp in Albanië. Hij maakte deel uit van een Nederlandse missie die hulp verleende bij het opzetten van een gendarmeriekorps in deze zojuist onafhankelijk geworden Balkanstaat. De situatie in dit sterk verdeelde land was bepaald niet zonder gevaar en op 15 juni kwam een markante deelnemer aan deze missie, majoor L.W.J.K. Thomson, bij de verdediging van de stad Dürres tegen opstandelingen om het leven. Met dit offer verwierf hij in Albanië een heldenstatus die nog steeds standhoudt. In Nederland werd hij eveneens een beroemdheid en verrezen te zijner ere monumenten in Den Haag en Groningen.

BLOED, ZWEET EN TRANEN: INZET EN BIJSTAND · FOTOGRAAF ONBEKEND

MOBILISATIE 1914-1918

Het uitbreken van de Eerste Wereldoorlog had tot gevolg dat de Nederlandse regering ons land onmiddellijk neutraal verklaarde en voor het eerst in 44 jaar een algemene mobilisatie van de strijdkrachten afkondigde. Per 1 augustus werd een leger van 200.000 man sterk op voet van oorlog gebracht. De geoefendheid van de troepen was echter wisselend, terwijl ook de materiële uitrusting lacunes vertoonde. Op deze foto uit de begindagen van de mobilisatie zien we militairen van het 7e Regiment Infanterie aan de maaltijd in hun tentenkamp in Harskamp. Hun weinig uniforme kleding bevestigt het beeld van een leger waaraan het nodige mankeerde.

MOBILISATIE 1914-1918

'Lieve schat', zo begon eerste luitenant H. van Houten op 16 oktober 1914 het bericht achterop deze prentbriefkaart aan zijn dochter Willemien, 'Hierbij stuur ik je een foto van een schuur waar soldaten in slapen. Ze liggen daar maar zóó in het stroo en hebben geen kussens en geen lakens, maar wel twee dekens'. De luitenant, ingedeeld bij het 7e Regiment Infanterie, moest blijkbaar nog wennen aan de eenvoudige leefomstandigheden van het zojuist gemobiliseerde leger. Als officier zal hij overigens zeker over een gerieflijkere slaapplaats hebben beschikt dan de door hem beschreven soldaten. Vermoedelijk was hij ingekwartierd bij een van de notabelen van het dorp of had hij een kamer in een plaatselijk hotel.

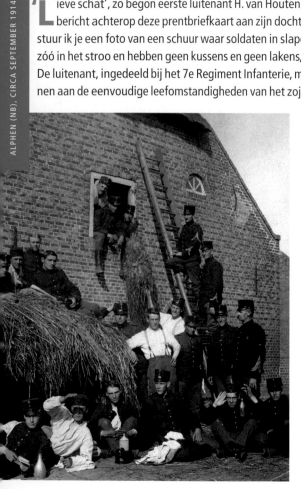

MOBILISATIE 1914-1918

Een landstormcompagnie op mars. In 1913 was de *Landstormwet* van kracht geworden, met als doel een grote legerreserve te creëren die in noodgevallen kon worden geactiveerd. De oudste lichtingen dienstplichtigen, namelijk zij die eerst in de militie en vervolgens in de landweer hadden gediend, gingen de kern van deze landstorm vormen. Maar de wet maakte het ook mogelijk die mannen op te roepen die nog nooit enige vorm van dienstplicht hadden vervuld, zij het alleen voor het doen van ongewapende dienst; een clausule die in 1915 uit de wet werd geschrapt. Daarnaast was er in augustus 1914 een vrijwillige landstorm opgericht, bestaande uit mannen — onder wie veel leden van schietverenigingen — die uit vrije wil een bijdrage aan de landsverdediging leverden.

MOBILISATIE 1914-1918

Etensuur bij een grenswacht van het 17e Regiment Infanterie bij Putte (NB). Gedurende de vier lange mobilisatiejaren hield de regering het leger permanent op oorlogssterkte, zij het dat de militairen wel zo nu en dan enige tijd met verlof naar huis konden. Verreweg de meeste troepen waren in Zuid-Nederland gelegerd. Dat was logisch omdat de strijd aan het westelijke front zich in België en Frankrijk afspeelde, langs een frontlijn die jarenlang vrijwel niet verschoof. De Nederlandse militairen namen met verbijstering kennis van de enorme verliezen die de oorlogvoerende partijen leden. Terwijl zij tot hun geluk buiten het oorlogsgeweld bleven, kampten zij wel met een andersoortige vijand in de vorm van de steeds moeilijker te bestrijden verveling.

Militairen van het 3e Regiment Vestingartillerie vertrekken, compleet met hun paarden, wagens, geschut, munitie en verdere uitrusting, in de zomer van 1918 per spoor vanuit Den Haag naar het gebied van de Nieuwe Hollandse Waterlinie, om daar aan een oefening te gaan deelnemen. De strijdkrachten deden gedurende de mobilisatie 1914-1918 een groot beroep op de beschikbare transportmiddelen. Vooral de spoorwegen vervoerden in die jaren grote aantallen militairen en enorme hoeveelheden militaire vracht.

MOBILISATIE 1914-1918

Een soldaat houdt de wacht bij een afgebrande barak. Het intrekken van de ver-loven leidde in oktober 1918 tot een oproer onder dienstplichtige militairen in de Legerplaats Harskamp. Deze ongeregeldheden waren niet de eerste uiting van onvrede onder de militairen ten tijde van de mobilisatie, maar wel de heftigste. Het gezag van de officieren werd niet langer geëerbiedigd en een aantal barakken werd in brand gestoken. De muiters vluchtten, maar werden staande gehouden. De Harskamprellen werden gevolgd door een aantal kleinere uitbarstingen van onvrede elders in het land. Het einde van de mobilisatie, medio november 1918, nam echter de voornaamste voedingsbodem voor verdere relletjes weg.

JORDAANOPROER

AMSTERDAM, JULI 1934

De economische crisis van de jaren dertig veroordeelde veel Nederlanders tot bittere armoede. Toen de regering in 1934 fors op de werklozenuitkeringen ging bezuinigen, brak op 4 juli in Amsterdam het zogeheten Jordaanoproer uit. Na een door de Communistische Partij Nederland georganiseerde protestbijeenkomst trok een woedende menigte de Jordaan in, wierp er barricades op en raakte slaags met de politie. Vanaf 6 juli werd de politie, die hard optrad, bijgestaan door 200 man van de Koninklijke Marechaussee en 150 man van het Korps Politietroepen (PT). Op de foto zien we drie PT'ers te paard en een marechaussee met hun vuurwapens in de aanslag. Na enkele dagen keerde de rust weer. Het oproer kostte vijf mensen het leven; meer dan vijftig raakten zwaargewond.

MOBILISATIE 1939-1940

In de tweede helft van de jaren dertig nam de politieke spanning in Europa als gevolg van de agressieve houding van Duitsland en Italië flink toe. In augustus 1939 werd de oorlogsdreiging acuut na ernstige dreigementen van Hitler aan het adres van Polen. Daarom begon op 29 augustus de mobilisatie van leger en vloot. 280.000 militairen kwamen op in over het land verspreide mobilisatiecentra, van waaruit ze naar hun mobilisatiebestemming werden vervoerd. Tijdens het wachten lazen ze in de krant het laatste nieuws, terwijl een enkeling ook een uiltje knapte. Op 1 september meldden de dagbladen dat de *Wehrmacht* Polen was binnengevallen. De Tweede Wereldoorlog was een feit, zij het dat Nederland vooralsnog neutraal bleef.

OMGEVING WOUDENBERG, NAJAAR 1939

Het water van vijand tot bondgenoot. Twee militairen kijken uit over een geïnundeerd gebied in de Valleistelling, beter bekend als de Grebbelinie. Kort na de afkondiging van de mobilisatie werden in deze linie, evenals op tal van andere plaatsen, inundaties gesteld. De bewoners van de ondergelopen gebieden werden geëvacueerd. De bijgaande foto verscheen op het omslag van het decembernummer 1939 van het tijdschrift *De Wacht*, dat voor tien cent onder de gemobiliseerde militairen werd verkocht. Naast informatieve artikelen over militaire zaken en het leven onder de wapenen, bood het blad verstrooiing in de vorm van onder meer knutselrubrieken en cartoons.

• FOTO: J.D.S. PATERS (?)

MOBILISATIE 1939-1940

Een klassiek beeld van de inundaties. Deze foto maakt deel uit van een serie die in december 1939 op last van de commandant van het Veldleger, luitenant-generaal J.J.G. baron van Voorst tot Voorst, onder de pers werd verspreid. In een begeleidende brief stelde hij dat plaatsing van de foto's 'mede met het oog op den indruk in het buitenland bepaaldelijk gewenscht was'. Hij hoopte dat van deze beelden, die de ondoordringbaarheid van de inundaties moesten aantonen, een afschrikwekkende werking zou uitgaan. De foto toont bereden veldartilleristen met een kanon '6 Veld'. Alles lijkt nog goed te gaan, maar op een volgende foto uit de serie is te zien dat het stuk geschut in een greppel is weggezakt.

De IJsselbrug bij Westervoort, gezien vanaf het in 1865 gebouwde fort dat deel uitmaakte van de IJssellinie. Hoewel het er op de foto degelijk en heldhaftig uitziet, was deze linie in 1940 een zwakke schakel in de Nederlandse verdediging. Van de bij Westervoort gestationeerde militairen werd verwacht dat zij de vijandelijke opmars lang genoeg zouden vertragen om de brug niet onbeschadigd in handen van de vijand te laten vallen. Meer naar het westen, te beginnen bij de Grebbelinie, zou dan een hardnekkiger verdediging worden gevoerd. In de vroege morgen van 10 mei 1940 kweten de hier afgebeelde militairen zich met succes van hun taak; de brug bij Westervoort werd tijdig vernield.

Een groepje militairen is druk in de weer met het aanbrengen van een aspergeversperring in het wegdek. Dit type hindernis bestond uit een ingegraven
betonblok dat kon worden voorzien van een aantal uitstekende stalen profielen,
de zogenoemde 'asperges'. Als er geen gevaar dreigde, konden de openingen
waarin de asperges moesten worden gestoken, worden afgedekt met de deksels
die op de foto te zien zijn. De weg was dan vrij voor gebruik door eigen troepen
en het civiele verkeer. Het doel van een aspergeversperring was om vijandelijke
voertuigen de doorgang te beletten of op zijn minst te vertragen. Tijdwinst kon in
de strijd immers van vitaal belang zijn.

MOBILISATIE 1939-1940

Militairen van het Korps Politietroepen brengen op de Waalbrug een beweegbare tankversperring in gesloten positie, terwijl enkele jongedames op het nippertje weten te voorkomen dat zij voor een dichte deur komen te staan. Deze zware stalen hindernis had vooral tot doel om te verhinderen dat de Waalbrug, die niet ver van de Duitse grens lag, bij een verrassingsaanval in vijandelijke handen zou vallen. De Politietroepen hadden de taak deze rivierovergang, evenals andere objecten van strategisch belang, permanent onder bewaking te houden. In de vroege morgen van 10 mei 1940, de dag van de Duitse inval, werd de Waalbrug, evenals de nabijgelegen spoorbrug, door de Nederlandse genie met explosieven vernield.

MOBILISATIE 1939-1940

De talrijke bruggen in Nederland vormden uit militair oogpunt belangrijke objecten die, wanneer zij in oorlogstijd tijdig werden vernield, de vijandelijke opmars naar verwachting ernstig konden vertragen. Tijdens de mobilisatie 1939-1940 werden bij veel bruggen dan ook bij voorbaat explosieven aangebracht om, wanneer nodig, snel tot vernieling te kunnen overgaan. Zo plaatsen de genisten op de foto in de omgeving van Goor en Stokkum springladingen in een van de drie identieke betonnen boogbruggen over het Twente-Rijnkanaal. Deze drie bruggen zouden net als vele andere vaste oeververbindingen in de meidagen van 1940 inderdaad worden opgeblazen.

Een legendarisch beeld uit de Nederlandse militaire geschiedenis: infanteristen demonstreren voor de verzamelde pers hoe strenge vorst de kracht van de inundaties kan ondermijnen. De vijand kon zo binnenschaatsen of zich lopend of met lichte voertuigen op het ijs begeven. Althans zo leek het, maar de genie liet zien dat er tegenmaatregelen mogelijk waren door de ijsvlakte met springstoffen of met speciaal voor dit barre winterweer geconstrueerde mobiele zaagmachines open te breken. Bepalend voor de beeldvorming bij latere generaties werden echter de schaatsende soldaten, als een winterse variant op het stereotiepe beeld van 'het fietsende leger'.

MOBILISATIE 1939-1940

Als adjudant in buitengewone dienst van Hare Majesteit legde prins Bernhard tal van bezoeken af aan de gemobiliseerde troepen. Hij fungeerde daarbij als de ogen en oren van de koningin en hij bracht haar geregeld rapport uit van zijn bevindingen. Op de foto inspecteert hij een batterij luchtdoelartillerie aan de Rotterdamseweg in Delft, die werd bemand door leden van het plaatselijke Vrijwillige Landstormkorps Luchtafweerdienst. Dit korps, dat uit particulier initiatief was ontstaan, werd deels door het bedrijfsleven gefinancierd, waaronder de Koninklijke Nederlandse Gist- en Spiritusfabriek in Delft. Deze ondernemingen beschikten op deze manier over eigen middelen om zich tegen luchtaanvallen te beschermen.

MOBILISATIE 1939-1940

Militairen leggen met zandzakken een stelling aan in de Grebbelinie. Nadat het opperbevel over de Nederlandse strijdkrachten in februari 1940 van generaal I.H. Reijnders was overgegaan op generaal H.G. Winkelman, werd het zwaartepunt in de verdediging verlegd van de Nieuwe Hollandse Waterlinie naar de Grebbelinie. Mede als gevolg van deze verschuiving werden er in het voorjaar in die laatste linie nog vele nieuwe stellingen gebouwd. Dit gebeurde vooral in het meest zuidelijke deel ervan - ter hoogte van de Grebbeberg - waar zich geen inundaties bevonden. Wat opvalt, is dat de stellingen in verband met het hoge grondwaterpeil grotendeels bovengronds worden aangelegd.

MEIDAGEN 1940

Foto's van de gevechten in mei 1940 zijn, zeker waar het gaat om beelden van Nederlandse zijde, uitermate zeldzaam. Een fotodienst die met de vastlegging van de oorlogshandelingen was belast, bestond niet, terwijl de meeste militairen wel wat anders te doen hadden dan plaatjes schieten. De hier afgebeelde foto is een uitzondering op de regel: hij maakt deel uit van een aantal losse fotobladen die het NIMH in 2009 wist te verwerven. Naast de meer gebruikelijke beelden van de mobilisatietijd bevatten deze bladen foto's die ten tijde van de meidagen van 1940 zijn genomen, en wel van het eskadron pantserafweergeschut (PAG) van het 2e Regiment Huzaren. De foto toont een open PAG-stelling aan de Maastrichtseweg langs de Zuid-Willemsvaart in Den Bosch.

• FOTO: A.A.C. COLENBRANDER

MEIDAGEN 1940

EDE, 10 MEI 1940

Een raadselachtige foto uit de meidagen van 1940. Nederlandse huzaren
bewaken bij hotel-pension Langenberg in Ede een groep van circa dertig
mannen die in gebrekkig Duits beweren dat zij uit Duitsland ontsnapte Poolse
krijgsgevangenen zouden zijn. Is dat juist of gaat hier om vermomde Duitse militairen die met een krijgslist door de Nederlandse linies willen sluipen? De commandanten ter plaatse bleven twijfelen, ook nadat zij de 'Polen' hadden
verhoord. Uiteindelijk besloten zij de groep mannen onder geleide door te zenden in westelijke richting. Over wat er vervolgens met hen is gebeurd, bestaat
geen duidelijkheid. Sommige raadselen uit de oorlog zullen misschien nooit worden opgelost.

• FOTOGRAAF ONBEKEND

MEIDAGEN 1940

Hoewel het oorlogsrecht het uitdrukkelijk verbood, hebben Duitse militairen tijdens de meidagen van 1940 Nederlandse krijgsgevangenen meer dan eens gedwongen tot arbeid die verband hield met de krijgsverrichtingen. Op deze foto is hiervan een voorbeeld te zien. De Nederlanders, ontdaan van hun uniformjas, verplaatsen op last van de meelopende SS'ers een pantserafweerkanon. Ook zijn er gevallen bekend waarbij Nederlandse krijgsgevangenen als levend schild moesten dienen. Aan Nederlandse zijde is het oorlogsrecht eveneens meermaals geschonden, bijvoorbeeld door een onjuist gebruik van de witte vlag. Ten aanzien van dit heikele onderwerp bestaan veel onduidelijkheden. Zo is de exacte omvang van de tijdens de meidagen over en weer gepleegde schendingen van het oorlogsrecht niet meer vast te stellen.

• FOTOGRAAF ONBEKEND

MEIDAGEN 1940

VERMOEDELIJK OMGEVING DELFT, MEI 1940

Een naar het schijnt vriendelijk onderhoud tussen een Nederlandse en twee Duitse militairen na de capitulatie van het Nederlandse leger, tegen de achtergrond van de verwrongen resten van een neergehaald Duits Junkers Ju-52 transportvliegtuig. De Duitse *Luftwaffe* zette een groot aantal van dergelijke toestellen boven Nederlands grondgebied in ter ondersteuning van de luchtlandingen in het westen van het land. Deze vliegtuigen, die zich relatief langzaam en op lage hoogte voortbewogen, bleken echter kwetsbaar voor vijandelijk vuur en de Nederlandse troepen slaagden er dan ook in circa 160 Junkers te vernietigen, zowel in de lucht als op de grond.

• FOTO: W. HELDOORN (?)

195

'Nederlands hoop' staat er boven de toegang. De foto is een stille getuige van de strijd: een gehavend mitrailleurnest van de 3e Compagnie van het Ie Bataljon van het 8e Regiment Infanterie in de stoplijn op de Grebbeberg. Deze

lijn was een tweede verdedigingslinie achter de frontlijn, bedoeld voor het opvangen en ongedaan maken van een onverhoopte vijandelijke doorbraak. De Grebbeberg was in mei 1940 het decor van bloedige gevechten. Naar schatting vonden er meer dan 380 Nederlandse en ruim 250 Duitse militairen de dood. Uiteindelijk dolven de Nederlandse verdedigers het onderspit. In de ochtend van 14 mei trok het Veldleger zich uit de Grebbelinie terug. Ook elders was de situatie voor de Nederlandse krijgsmacht toen al uitzichtloos.

MEIDAGEN 1940

Nederlanders en Duitsers maken de trieste balans op van de gevechten op de Grebbeberg. Na de identificatie van de vele honderden slachtoffers werden de lichamen op een terrein op dit voormalige slagveld begraven. Deze begraafplaats had jarenlang een voor een militair ereveld nogal onorthodoxe aanblik, omdat de graven niet gelijkvormig waren. Bovendien rustten er aanvankelijk ook Duitse militairen op de Grebbeberg, maar hun stoffelijke resten werden kort na de oorlog verwijderd. In 1967 werden de oorspronkelijke grafmarkeringen vervangen door uniforme stenen, waardoor de begraafplaats een strakkere en meer militaire uitstraling kreeg. Jaarlijks herdenkt de krijgsmacht op 4 mei op de Grebbeberg alle militairen die sinds 1940 wereldwijd voor het Koninkrijk der Nederlanden zijn gevallen.

MEIDAGEN 1940

Bloemenhulde bij het graf van de te Cornwerd gesneuvelde soldaat Johannes de Frankrijker. Kort na de capitulatie herdenken de militairen van het 33e Regiment Infanterie (33 RI) hun gevallen strijdmakkers. 33 RI was verantwoordelijk voor de verdediging van de in Friesland gelegen Wonsstelling, bij de oostelijke toegang van de Afsluitdijk. Tijdens de gevechten die hier op 12 mei begonnen, boden de militairen van 33 RI plaatselijk dapper weerstand, maar desondanks slaagden de Duitsers er na enkele uren in tot de Afsluitdijk door te dringen. Hun pogingen via de dijk naar West-Friesland op te rukken stuitten echter op verzet van onder meer de bemanning van het kazemattencomplex Kornwerderzand, dat tot aan de capitulatie standhield. Bij de strijd in de drie noordelijke provincies sneuvelden 22 Nederlandse militairen.

Na de capitulatie op 14 mei 1940 kwam bij veel Nederlandse militairen de kater. Gesterkt door de militaire propaganda hadden zij een te groot vertrouwen in de kracht van de Nederlandse defensie gesteld. De snelle ineenstorting van de verdediging kwam dan ook als een schok. In de eenheden die tijdens de vijf oorlogsdagen nauwelijks bij de gevechten betrokken waren geweest, vroegen velen zich tandenknarsend af waarom de strijd zo spoedig was gestaakt. De militairen die wel in de vuurlinie hadden gelegen, voelden nu pas goed de pijn van het verlies van hun gevallen kameraden. De bedrukte stemming onder de militairen op de foto, behorend tot de IIIe Afdeling van het 15e Regiment Artillerie, is van hun gezichten af te lezen.

KRIJGSGEVANGENSCHAP 1940-1945

Na de capitulatie in mei 1940 werd het Nederlandse leger fasegewijs gedemobiliseerd. Enkele tientallen officieren die hadden geweigerd de zogeheten erewoordverklaring te tekenen, werden vrijwel onmiddellijk als krijgsgevangenen naar Duitsland overgebracht. Hierbij bleef het niet, want in mei 1942 gelastte de Duitse bezetter dat alle in Nederland aanwezige beroepsofficieren, cadetten en adelborsten in krijgsgevangenschap moesten worden afgevoerd. In april 1943 ging eenzelfde bevel uit ten aanzien van alle overige militairen van het voormalige Nederlandse leger. Velen gaven aan deze oproep echter geen gehoor en doken onder. De krijgsgevangen Nederlandse militairen verbleven in kampen in Duitsland en Polen. Op de foto een blik in de kantine van het kamp te Mühlberg.

PRINSES IRENEBRIGADE

LEIGHTONSTONE (ENGELAND),
CIRCA 6 AUGUSTUS 1944

Uit de Nederlandse militairen die in mei 1940 naar Engeland wisten te ontkomen, werd een klein jaar later de Koninklijke Nederlandse Brigade 'Prinses Irene' geformeerd. Deze eenheid werd aangevuld met Engelandvaarders en met buiten het Europese continent woonachtige dienstplichtigen, terwijl ook een aantal in de Verenigde Staten opgeleide mariniers de gelederen kwam versterken. De op Britse bodem opgeleide brigade, die een sterkte van ruim 1200 man bereikte, landde op 8 augustus 1944 op de Franse kust. Zij maakte deel uit van het grote geallieerde expeditieleger dat precies twee maanden eerder een begin met de invasie van Normandië had gemaakt. Op de foto ontvangt een aantal Irenemannen, voorafgaand aan de overtocht, de laatste instructies.

PRINSES IRENEBRIGADE

Na de oversteek naar Frankrijk werd de Irenebrigade aan het front in Normandië ingezet, waarbij zij haar eerste verliezen leed. Vervolgens rukten de Irenemannen in oostelijke richting op. Op de foto trekken zij door een niet bij naam bekend dorp in Normandië. De brigade was samen met de Belgische Brigade Piron verantwoordelijk voor de inname van het stadje Pont Audemer. Het vaandel van het Garderegiment Fuseliers Prinses Irene, dat de tradities van de gelijknamige brigade voortzet, draagt daarom onder meer deze plaatsnaam als opschrift. Ook dragen hedendaagse fuseliers nog het zogeheten 'invasiekoord', ter ere van de landing en inzet van de Irenebrigade in Normandië.

PRINSES IRENEBRIGADE

Tijdens de snelle opmars vanuit Normandië naar de Nederlandse grens raakte de Irenebrigade her en der in felle gevechten verwikkeld. Een aansprekend wapenfeit was de mede door de brigade gevoerde verdediging van een bruggen-hoofd op de noordoever van het Albertkanaal nabij de Belgische plaats Berin-gen, medio september 1944. Daarbij werden deze twee Duitse *Luftwaffe*-militairen krijgsgevangen gemaakt. Hoewel de twee wellicht opgelucht waren dat de oorlog voor hen voorbij was, steekt hun strakke gelaatsuitdrukking schril af bij de lachende en triomfantelijke gezichten van de drie Irenemannen en de Belgische verzetsstrijder in de Jeep.

NO. 2 (DUTCH) TROOP

Uit het Nederlandse troepencontingent in Engeland werd in 1942 een commando-eenheid gevormd die de naam No. 2 (Dutch) Troop kreeg. Onder Britse leiding doorliepen deze militairen samen met cursisten van andere nationaliteiten de loodzware commando-opleiding. Van degenen die deze beproeving volbrachten, vertrok het merendeel eind 1943 naar Brits-Indië, om van daaruit deel te gaan nemen aan operaties in Malakka en op Sumatra. Dat was althans het plan, maar van herhaald uitstel kwam afstel en in augustus 1944 keerden de mannen van No. 2 (Dutch) Troop onverrichter zake teleurgesteld terug naar Engeland. Het enige noemenswaardige wapenfeit in Azië was de deelname van een groepje van vijf Nederlandse commando's aan gevechtsacties in Birma geweest.

STOOTTROEPEN

In september 1944 gaf prins Bernhard, in zijn functie van bevelhebber der Nederlandse Strijdkrachten, opdracht in de reeds bevrijde delen van Zuid-Nederland militaire eenheden te vormen, bestaande uit mannen die uit het gewapend verzet afkomstig waren. Aldus ontstonden de Stoottroepen, die een Brabantse en een Limburgse tak kregen. De Stoters van het eerste uur, die niet of nauwelijks waren opgeleid en slecht waren uitgerust, vochten zij aan zij met geallieerde eenheden. Zo werden zij tijdens de wintermaanden onder meer aan het rivierenfront ingezet, zoals hier op de foto langs de Waal. Rechts de commandant van de 1e Compagnie, Dré de Kousemaker, en links een van zijn officieren, Dirk Temmink.

• FOTO: ONNO RINZEMA

STOOTTROEPEN

Militairen van het 1e Bataljon van het Commando Limburg van de Stoottroepen staan aangetreden. De Limburgse Stoters streden vanaf begin oktober 1944 onder Amerikaans bevel in de frontlinie, terwijl zij ook bewakingstaken in Nederland, Duitsland en België voor hun rekening namen. Zij leden aanzienlijke verliezen, die mede werden veroorzaakt door hun onervarenheid en gebrekkige training. Dat nam niet weg dat de jonge maar gedreven eenheid waardering van de bondgenoten oogstte. Bovendien werden de Stoters geleidelijk alsmaar beter uitgerust, zodat zij – zoals de foto laat zien – steeds meer het uiterlijk van 'echte' militairen aannamen. De drie mannen links op de foto zijn overigens Amerikanen.

BEVRIJDING WEST-NEDERLAND

N a de landing in Normandië en de opmars door Frankrijk en België leverde de Irenebrigade van september 1944 tot mei 1945 een bijdrage aan de bevrijding van Nederland. De apotheose van dit optreden op eigen grondgebied waren de gevechten bij Hedel aan de Maas in april 1945. De bekroning van de campagne volgde in mei 1945, toen de brigade onder luide toejuichingen West-Nederland binnentrok en daarmee de bevrijding een oranje tintje gaf. Op de foto zien we op de Haagse Hofweg wachtmeester P. Ceton, die op zijn met bloemen getooide BSA motorfiets deelneemt aan de zegetocht door de Residentie.

BINNENLANDSE STRIJDKRACHTEN

Na de bevrijding van Nederland op 5 mei 1945 kwamen ook in het westen van het land de Binnenlandse Strijdkrachten (BS) bovengronds. De BS was op 5 september 1944 opgericht om de belangrijkste groeperingen van het gewapende verzet in één organisatie te verenigen. Vanaf die datum traden overigens ook mannen zonder actief verzetsverleden toe tot de BS. De bovengronds gekomen BS'ers waren te herkennen aan hun blauwe overals en een armband met daarop het woord 'Oranje'. De persoon voorop draagt een Stengun, een pistoolmitrailleur die door de Britse luchtmacht in grote aantallen boven bezet gebied was gedropt om het verzet te bewapenen.

NEDERLANDS DETACHEMENT KOREA

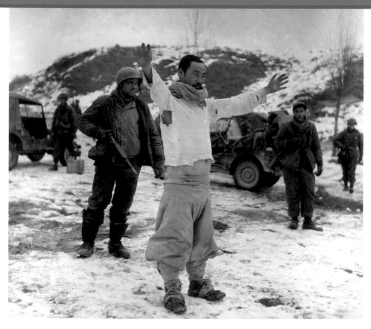

Walker Willem (Wim) Dussel (1920-2004) meldde zich in 1950 vrijwillig aan als legerfotograaf en –correspondent bij het Nederlands Detachement Verenigde Naties (NDVN) in Korea. In die hoedanigheid legde hij van november 1950 tot augustus 1951 het optreden van de Nederlandse militairen in Korea in woord en beeld vast. Zijn verslagen en foto's werden in verschillende bladen en kranten gepubliceerd. Op de foto houdt korporaal B. van Leeuwen de eerste Noord-Koreaanse krijgsgevangene van het NDVN onder schot. 'Tegen zulke mensen vecht men nu', tekende Dussel in zijn archief aan. Het grote verschil in uitmonstering en uitrusting tussen de VN-troepen en hun vijanden was typerend voor de strijd in Korea.

NEDERLANDS DETACHEMENT KOREA

Het NDVN had het zwaar in Korea. Het klimaat was er guur en het terrein onherbergzaam. Bovendien waren de Nederlandse militairen geregeld bij gevechtsacties betrokken. Omdat zij dikwijls het gevaar liepen te sneuvelen of

gewond te raken, was ook de psychische belasting erg hoog. Het risico van een mentale ineenstorting – ook wel gevechtsuitputting genoemd – lag steevast op de loer. De (onbekende) infanterist op de foto is, door zijn vermoeide, welhaast lijdende gezichts-uitdrukking een icoon geworden van het zware offer dat het NDVN bracht. De foto is tevens typerend voor de manier waarop Wim Dussel deze oorlog fotografeerde: in sterke beelden, met een scherp oog voor de menselij-ke aspecten van het solda-tenleven.

NEDERLANDS DETACHEMENT KOREA

Wim Dussel bracht vrijwel alle aspecten van de oorlog in Korea realistisch in beeld, zo ook dit indringende moment. Een militair staat een strijdmakker bij die zojuist tijdens de gevechten op heuvel 975 zwaar gewond is geraakt. Het slachtoffer overleed korte tijd later aan zijn verwondingen. 'Er beginnen uitvallers te komen', luidde het zakelijke commentaar van Dussel bij deze foto. In totaal zouden 123 militairen van het NDVN in Korea sneuvelen of door ziekte dan wel door een ongeval om het leven komen.

WATERSNOOD 1953

De watersnoodramp van februari 1953 bracht tienduizenden hulpverleners op de been, onder wie 15.500 landmachtmilitairen. Velen van hen waren, zoals de mannen op de foto, dagenlang bezig met het vullen en sjouwen van zandzakken om de dijken te versterken en de gaten te dichten. Daarnaast kwamen militairen met boten, vlotten en pontons in actie om burgers van de daken van hun door het water omspoelde huizen te bevrijden. Legerchauffeurs transporteerden evacués naar inderhaast ingerichte opvangcentra, hospikken boden geneeskundige zorg en militaire koks voorzagen vanuit hun mobiele veldkeukens slachtoffers en hulpverleners van een warme hap. Acht KL-militairen kwamen bij de uitoefening van hun humanitaire taak om het leven.

AANLEG NOODBRUG

O ok in meer alledaagse situaties wanneer er geen sprake is van oorlog of van rampen, verleent het leger geregeld bijstand. Zo maakt de genie zich sinds jaar en dag verdienstelijk met de aanleg van noodbruggen. Deze foto is hiervan een fraai voorbeeld. De C-Compagnie van 11 Geniebataljon uit Wezep sloeg in de nacht van 14 op 15 juni 1958 een tijdelijke oeververbinding over het Steenwijkerdiep, nadat de Dolderbrug, een schakel in de toenmalige rijksweg Meppel-Leeuwarden (nu: Tukseweg), door een gebroken kabel buiten gebruik was geraakt. Hoewel het verkeersaanbod anno 1958 nog vrij beperkt was, hadden de genisten veiligheidshalve voor een aparte overgang voor voetgangers gezorgd. De Dolderbrug, een betonnen hefbrug, is in 2010 gesloopt.

DELTAWERKEN

Een illustratief beeld van de bijstand die de landmacht zo nu en dan aan grote nationale projecten levert: 462 Pontonnierbataljon uit Keizersveer werkt mee aan een grote brugslagoperatie in het Haringvliet in het kader van de uitvoering van het Deltaplan. Een bokdrijver van Ballast Nedam is druk doende een vijftig ton zwaar brugdeel van het bataljon, dat hij in de takels heeft, op de reeds geslagen pijlers te plaatsen. Hij voert dit karwei uit in nauwe samenwerking met de militairen op het brugdeel. De brug, die uit negen van dergelijke overspanningen kwam te bestaan, verbond Goeree-Overvlakkee met een kunstmatig eiland in het Haringvliet dat was aangelegd ten behoeve van de bouw van de Haringvlietdam. Zij had een totale lengte van 450 meter.

TREINRAMP HARMELEN

Op 8 januari 1962 kwamen om 9.19 uur in dichte mist op de spoorlijn Utrecht-Rotterdam bij Harmelen twee passagierstreinen frontaal met elkaar in botsing. Bij deze grootste treinramp uit de Nederlandse geschiedenis vonden 93 personen de dood. Passagiers uit een achteropkomende trein, onder wie veel militairen, schoten als eersten te hulp. Zij kregen spoedig assistentie van militairen van 637 Intendance Herstelcompagnie en 167 Intendance Compagnie uit het nabijgelegen Woerden. Ook de civiele hulpdiensten snelden naar de plek des onheils, evenals personeel van het Centraal Militair Hospitaal (CMH) in Utrecht, dat met al het beschikbare materieel uitrukte. De ziekenwagens van het CMH kregen vooral de trieste taak de doden af te voeren. De verbindingsdienst richtte op de plaats van de ramp een verbindingspost met straalzender in.

WINTERHULP

De winter van 1962 op 1963 was een van de strengste van de 20e eeuw. Omstreeks de jaarwisseling werd het land bedekt onder een dik pak sneeuw. Het materieel van Rijkswaterstaat was niet opgewassen tegen dit door de *Legerkoerier* van februari 1963 als 'Noordpoolcondities' bestempelde klimaatgeweld, waardoor de wegen onbegaanbaar dreigden te raken. Daarom sprong onder meer 11 Geniebataljon uit Wezep te hulp. Op de foto zien we hoe vaandrig De Rooy en soldaat Vriezen in de nabijheid van Kampen met een Caterpillar geniebulldozer een weg sneeuwvrij maken. Op de voorgrond een marechaussee in een karakteristieke pose.

• FOTO: LFFD

WATERSNOOD FLORENCE

In de nacht van 4 op 5 november 1966 trad in Italië de rivier de Arno buiten haar oevers. De overstroming zette de historische binnenstad van Florence blank en veroorzaakte daardoor veel schade. Bovendien dreigde er een tekort aan voedsel en drinkwater. Nederlandse genisten van 11 Geniebataljon, 462 Pontonnierbataljon, 107 Geniebataljon en 107 Kipautocompagnie, alsmede leden van het Korps Mobiele Colonnes, vertrokken daarom op 13 november met waterzuiveringsapparatuur naar het getroffen gebied. Met die middelen waren zij in staat het modderige rivierwater geschikt te maken voor consumptie. Een oudere heer maakt dankbaar gebruik van deze noodvoorziening. De hulpactie in Toscane ging de boeken in als operatie *Aqua Vita*.

OOGSTHULP

De zware en aanhoudende regenval in het najaar van 1974 deed een zware aanslag op de uien, bieten en aardappels in de West-Brabantse en Zeeuwse bodem. Door de drassigheid van het land waren de oogstmachines niet inzetbaar, terwijl de boeren te weinig mankracht hadden om handmatig te rooien. De oogst dreigde verloren te gaan. Maar gelukkig was daar Jan Soldaat: de dienstplichtigen waren wel vaker een trouwe bondgenoot van de agrariërs, wanneer die om extra handjes verlegen zaten. Ditmaal werden ruim 7000 militairen op de natte akkers aan het werk gezet. Een hulpactie als deze leverde de landmacht veel positieve publiciteit op.

• G. HOETMER (LFFD)

TREINKAPING DE PUNT

Ook bij de Molukse gijzelingsacties in de jaren zeventig verleende de Koninklijke Landmacht bijstand. Tijdens de treinkaping bij De Punt van 23 mei tot 11 juni 1977 werd de buitenste rand van het gebied om de trein afgezet en bewaakt door vier opeenvolgende pantserinfanteriebataljons. In de vroege ochtend van 11 juni kwam er door gewapend ingrijpen een einde aan deze terreuractie. Militairen van de Koninklijke Luchtmacht, het Korps Mariniers en de Bijzondere Bijstandseenheid Krijgsmacht voerden deze riskante operatie gezamenlijk uit. Na de ontknoping kwamen Geneeskundige Troepen van de landmacht in actie.

UNIFIL

Van maart 1979 tot oktober 1985 leverde Nederland een bijdrage aan UNIFIL, de VN-vredesmacht in Zuid-Libanon. Aanvankelijk deed het dat met een bataljon (Dutchbatt) en vanaf oktober 1983 met een compagnie (Dutchcoy). In totaal hebben circa 9000 Nederlandse militairen, voor het merendeel dienstplichtigen, gemiddeld een halfjaar in Libanon gediend. Een belangrijke taak van Dutchbatt was het onderscheppen van Palestijnse strijders die door UNIFIL-gebied trokken met het doel in Israël aanslagen te plegen. Deze infiltratiepogingen vonden vooral bij duisternis plaats. Overdag liepen de 'blauwe baretten' vaak patrouilles, zoals op de foto, onder meer om de contacten met de lokale bevolking warm te houden.

• FOTO: LFFD

UNIFIL

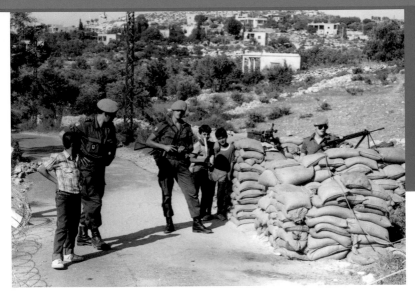

YA'TAR (ZUID-LIBANON), 1983

Verspreid over het operatiegebied bezette het Nederlandse UNIFIL-detache-ment een groot aantal posten, die dienden als uitvalsbases voor patrouilles of als uitkijkpunten van waaruit mogelijke infiltratieroutes konden worden geobserveerd. Daarnaast bemanden de 'blauwe baretten' langs de belangrijkste wegen zogeheten *checkpoints* met wegversperringen (*roadblocks*), waar zij per-soons- en voertuigcontroles uitvoerden. De foto toont een door Dutchbatt-mili-tairen bemande *roadblock* bij post 7-11, gelegen bij de plaats Ya'tar. Aan aandacht van de dorpsjeugd was meestal geen gebrek. Vervelender was dat 7-11 en andere posten aan de zuidgrens van het mandaatgebied van UNIFIL regel-matig in de clinch lagen met een andere partij in Zuid-Libanon: de *De Facto Forces*, een militielegertje onder leiding van majoor Haddad, die een handlanger was van Israël.

PROVIDE COMFORT

Het neerslaan van een Koerdische opstand door het kort daarvoor in de Golfoorlog verslagen Iraakse leger bracht in februari en maart 1991 een massale vluchtelingenstroom op gang. Als reactie daarop richtte de VN in Noord-Irak een veilige zone in. Onder de naam *Provide Comfort* namen militairen uit diverse landen deel aan een humanitaire operatie om de hulpverleners en vluchtelingen te beschermen en enkele vluchtelingenkampen te bouwen. Nederland leverde een bijdrage met onder meer een marinierseenheid en een geniehulpbataljon, waarvan ook een geneeskundige compagnie deel uitmaakte. Op de foto zien we genisten aan het werk tijdens de opbouw van een van de kampen.

• FOTO: PETER VAN DER REE (AVDKL)

UNPROFOR

Een Nederlandse militair vraagt de weg aan een Bosnische jongen tijdens een konvooireis van Lukavac naar Srebrenica. Bijna tienduizend Nederlandse militairen werden in de periode van maart 1992 tot eind 1995 uitgezonden naar de voormalige Joegoslavische federale republiek, waar tussen de vroegere deelstaten een bloedige oorlog was ontbrand, om een bijdrage te leveren aan de vredesmacht UNPROFOR. Dutchbat, waarvan de kern werd gevormd door een luchtmobiel infanteriebataljon, had de taak de moslimenclave Srebrenica in Bosnië te bewaken. Het kon echter niet verhinderen dat Srebrenica in juli 1995 in handen viel van een Bosnisch-Servische strijdmacht, die vervolgens het merendeel van de moslimmannen in de enclave vermoordde.

PROVIDE CARE

Een langlopend conflict tussen de Tutsi's en de Hutu's, twee bevolkingsgroepen in Rwanda, nam begin jaren negentig steeds gewelddadigere vormen aan. De moord op de Rwandese Hutu-president Habyarimana in april 1994 leidde tot een massaslachting van Tutsi-burgers door Hutu's. Toen vervolgens het uit Tutsi's gevormde *Rwandese Patriotic Front* in korte tijd bijna geheel Rwanda veroverde, sloegen de Hutu's massaal op de vlucht naar Zaïre (het tegenwoordige Congo). Een Nederlands detachement verleende in het kader van de humanitaire operatie *Provide Care* hulp in een vluchtelingenkamp in Goma, waar de situatie uitermate schrijnend was.

• FOTO: RENÉ VAN BAKEL (DVMvD)

UNPROFOR

Door de verschuiving in het takenpakket van de landmacht na de val van de Berlijnse muur kreeg het militaire leven een geheel nieuwe dynamiek. In toenemende mate werden militairen bij vredesmissies ingezet. Daarbij moesten zij meer dan voorheen leren omgaan met angst, spanning en onzekerheid, terwijl ze ook moesten wennen aan de langdurige scheiding van familie en geliefden. Maar ook voor het thuisfront weegt een uitzending zwaar. Het tafereel op de foto brengt de blijdschap in beeld die volgt bij het weerzien na een spannende periode in het uitzendgebied; de sergeant maakte deel uit van een brandstofkonvooi dat tijdens de UNPROFOR-missie in voormalig Joegoslavië eind 1994 een week lang door Bosnische Serviërs werd gegijzeld.

• FOTO: RENÉ VAN BAKEL (DVMvD)

225

WATERSNOOD 1995

In de jaren negentig kwam de krijgsmacht herhaaldelijk in actie om langs de grote rivieren dijkdoorbraken te verhinderen, overstromingen te bestrijden en getroffen bewoners uit hun benarde positie te bevrijden. In december 1993 was vooral de situatie in Limburg en Gelderland precair. In januari en februari 1995 was het wederom raak. De landmacht sprong ook toen weer bij om hulp te bieden bij evacuaties en het provisorisch versterken van de dijken die dreigden te bezwijken. Het was (voorlopig) de laatste keer dat de samenleving een beroep op dienstplichtige militairen kon doen om burgers in nood de helpende hand te bieden. In die zin markeert deze foto, die de oer-Hollandse strijd tegen het water uitbeeldt, het einde van een tijdperk.

IN OOST EN WEST: TROPENJAREN

PROPAGANDA

VERMOEDELIJK BATAVIA/JAKARTA (WEST-JAVA), SEPTEMBER 1945

'We don't like the Dutch!' Het conflict tussen Nederland en de Republiek Indonesië, die zich in augustus 1945, onmiddellijk na de Japanse capitulatie, onafhankelijk had verklaard, was deels ook een propagandastrijd. Met aanplakbiljetten, zoals die op de foto, wilden de Indonesische nationalisten duidelijk maken dat er van een terugkeer van het Nederlandse gezag niets goeds te verwachten viel. Zij wilden deze boodschap niet alleen op de eigen bevolking, maar ook op de internationale gemeenschap overbrengen. Vandaar het gebruik van de Engelse taal naast het Indonesisch. Dat een Britse *Army Film & Photographic Unit* deze uiting van het anti-Nederlandse sentiment de moeite van het fotograferen waard vond, kwam de Indonesische nationalisten dan ook goed uit.

ZUIVERING WEST-JAVA

TJILEUNGSIR (WEST-JAVA), 19 JULI 1946

Na een noodgedwongen oponthoud in Malakka arriveerden de eerste Nederlandse troepen in maart 1946 op Java en Sumatra, waar zij het gezag van de vertrekkende Britten overnamen. Hoewel Nederland onder druk van de internationale gemeenschap onderhandelingen met de leiders van de Indonesische republiek had aangeknoopt, met het doel een vreedzame oplossing voor het conflict te vinden, ging de regering in Den Haag tegelijkertijd door met het versterken van haar militaire aanwezigheid ter plaatse. Deze troepenmacht diende overal, zoals dat heette, 'orde en rust' te herstellen. Dat was geen eenvoudige taak, want vooral op Java had de jonge republiek veel gewapende aanhangers. De Nederlandse militairen probeerden dit verzet uit te schakelen. Op de foto een zuiveringsactie in een kampong op West-Java.

ZUIVERING WEST-JAVA

Een tweede beeld van de serie waaruit ook de vorige foto afkomstig is: Nederlandse militairen ondervragen kampongbewoners over de mogelijke aanwezigheid van 'revolutionaire elementen' in hun dorp. Een van de grote problemen van de Nederlandse militairen was dat aan Indonesische kant de strijders erg moeilijk van de niet-strijders, de 'gewone' burgerbevolking, te onderscheiden waren. De hier afgebeelde militairen maakten deel uit van het 1e Bataljon Jagers, dat grotendeels was gevuld met zogeheten 'oorlogsvrijwilligers' (OVW'ers). Deze OVW'ers waren een verbintenis met de landmacht aangegaan in de verwachting dat zij in Nederland of Duitsland zouden dienen of hooguit tegen Japan zouden moeten vechten. Tot hun verrassing moesten zij de strijd met de Republiek Indonesië aanbinden.

• FOTO: LVD

VERTREK 7-DECEMBER-DIVISIE

AMSTERDAM, 3 OKTOBER 1946

LIEVER STERVEN VAN ONTBERING DAN EEN COMMUNIST IN DE REGERING

Aankomst van een trein in het oostelijk havengebied in Amsterdam, met daarin militairen van het 9e Regiment Infanterie van de 1e Divisie '7 December', die per m.s. *Tegelberg* naar Nederlands-Indië zullen vertrekken. De meesten van hen zijn dienstplichtigen, want de regering had inmiddels besloten ook die categorie militairen uit te zenden. Het opschrift op de trein getuigt van de groeiende onenigheid tussen Oost en West in het beginstadium van de Koude Oorlog. In Nederland werd die tegenstelling versterkt door de kritiek van de Communistische Partij Nederland (CPN) op het militaire optreden in Nederlands-Indië. Een week eerder, bij het vertrek van andere eenheden, organiseerde de CPN protestdemonstraties en kwam het in Amsterdam tot ongeregeldheden.

VERTREK 7-DECEMBER-DIVISIE

In het najaar van 1946 vertrok een sterke troepenmacht ter grootte van een divisie (circa 20.000 man) naar Nederlands-Indië. Deze 1e Divisie '7 December' bestond grotendeels uit dienstplichtigen. Op de foto is te zien hoe een gedeelte van de divisie per m.s. *Volendam* vertrekt vanaf de Wilhelminakade in Rotterdam. De militairen worden uitgeleide gedaan door een militaire kapel die opwekkende tonen ten gehore brengt. De Indiëgangers, van wie het merendeel nog nooit buiten Nederland was geweest, stonden aan het begin van een groot en onzeker avontuur, te beginnen met een lange zeereis, die hen onder meer door het Suezkanaal zou voeren. Op 13 november meerde de *Volendam* af in Tandjoeng Priok, de haven van Batavia.

MILITAIR IN INDIË

Nederlandse militairen poseren vol bravoure in een legertruck die zojuist een brug passeert. De opname is gemaakt door een fotograaf van de kort daarvoor opgerichte Dienst voor Legercontacten (DLC). De militairen dragen gevlekte jungle overalls waarvan de Legeraanschaffingsdienst van het Koninklijk Nederlands-Indisch Leger (KNIL) een grote partij had aangekocht. Deze kledingstukken waren afkomstig van legerdepots in Hollandia (Nieuw-Guinea), die de Amerikaanse strijdkrachten daar hadden neergezet. De Koninklijke Landmacht vocht samen met het KNIL, dat al meer dan honderd jaar in Nederlands-Indië actief was, en eenheden van de Koninklijke Marine tegen de *Tentara Nasional Indonesia*: het leger van de Republiek Indonesië.

• FOTO: DLC

233

VERTREK PALMBOOMDIVISIE

Militairen van de 2e (D-)Divisie ('Palmboomdivisie') zijn in afwachting van het moment waarop zij aan boord kunnen gaan van het troepenschip m.s. *Kota Baroe*, dat hen naar Nederlands-Indië zal brengen. Deze divisie bestond, net als de 1e Divisie '7 December', die een halfjaar eerder naar de Oost was verscheept, grotendeels uit dienstplichtigen. De moderne en zware bewapening van deze divisies stond in schril contrast met de povere uitrusting van de Indonesische tegenstander, die er mede daarom voor koos vooral een guerrillastrijd te voeren. Voor het voeren van een effectieve contraguerrilla waren de logge Nederlandse divisies echter weinig geschikt. Daarom hielden zij als 'tactische eenheid' op te bestaan en werden zij in kleinere eenheden opgedeeld.

• FOTOGRAAF ONBEKEND

OPERATIE PRODUCT

Omdat de onderhandelingen tussen Nederland en de Republiek in een impasse waren geraakt - ondanks het op 15 november 1946 ondertekende akkoord van Linggadjati - besloot de regering in Den Haag op aanraden van de legercommandant, luitenant-generaal S.H. Spoor, over te gaan tot een grootschalige militaire operatie. Het doel ervan was de belangrijkste plantages en olievelden onder Nederlands gezag te brengen. Zodoende begonnen de Nederlandse troepen in de avond van 20 juli 1947 operatie *Product*, beter bekend als de Eerste Politionele Actie. Op de foto maken Nederlandse 'prikkebeentjes' tijdens die operatie een explosief onschadelijk. Het leggen van mijnen, bermbommen en valstrikken was een van de guerrillatactieken die het Indonesische leger toepaste.

OPERATIE PRODUCT

De opmars in Republikeins gebied tijdens operatie *Product* verliep grotendeels volgens schema. Op veel plaatsen werd nauwelijks tegenstand
ondervonden. Waar het wel tot gevechten kwam, wisten de Nederlandse eenheden de troepen van het Indonesische leger, de *Tentara Nasional Indonesia* (TNI),
vrij eenvoudig te verslaan. De TNI meed echter zoveel mogelijk grootschalige
directe confrontaties, omdat zij wist dat zij daarvoor te zwak was. Haar kracht
school in het irreguliere optreden. Op de foto houdt een konvooi van de 1e Divisie '7 December' halt in het plaatsje Tjikarang, circa veertig kilometer ten oosten
van de hoofdstad Batavia. De sfeer oogt er ontspannen.

OPERATIE PRODUCT

Het veiligstellen van economisch waardevolle objecten, zoals plantages, olievelden en krachtcentrales, vormde de belangrijkste doelstelling van de Eerste Politionele Actie. Het was daarbij van groot belang deze sleutelpunten
onbeschadigd in handen te krijgen. Op de foto is te zien hoe Nederlandse militairen een krachtcentrale bij Toentang in bezit nemen. Hoewel het onder controle
krijgen van deze objecten redelijk succesvol verliep, slaagde de legerleiding er
niet in het verzet van de TNI te breken. Die zette haar guerrilla onverminderd
voort. Zodoende heersten er ook na augustus 1947 op Java en Sumatra geen
'orde en rust'.

OPERATIE PRODUCT

Militairen van het 1e Bataljon van het Regiment Stoottroepen gaan op Midden-Java voorzichtig voorwaarts op een pad met aan één zijde dichte begroeiing. Het optrekken langs een bosrand had voor- en nadelen. Enerzijds bood het enige beschutting, omdat men minder zichtbaar was. Anderzijds loerde voortdurend het gevaar van een hinderlaag. Het was dus altijd oppassen geblazen. Het 1e Bataljon Stoottroepen bestond uit oorlogsvrijwilligers die veelal afkomstig waren van het voormalige Regiment Limburg van de Stoottroepen uit het laatste jaar van de Tweede Wereldoorlog. Tijdens Operatie *Product* deed de eenheid van zich spreken door een aanzienlijk aantal plaatsen op Midden-Java op de Republikeinen te veroveren.

• FOTO: P. OUWENS

OPERATIE PRODUCT

Communistische sympathieën waren in het Republikeinse kamp geen uitzondering. Uitingen daarvan werden door de Nederlandse autoriteiten breed uitgemeten, om te 'bewijzen' dat ons land in Nederlands-Indië een recht-

vaardige oorlog tegen het 'rode gevaar' voerde. Regelmatig verschenen er foto's in de krant waarop militairen buitgemaakte bewijsstukken tonen waaruit moest blijken hoezeer de Republikeinse tegenstanders onder de invloed van het communisme waren geraakt. Deze opname is hiervan een fraai voorbeeld: een TNI-embleem met hamer en sikkel, de sovjetsymbolen bij uitstek. In de oplaaiende Koude-Oorlogsstemming plaatsten dergelijke beelden de Republiek bij het Nederlandse thuisfront nog meer in het verdomhoekje.

GUERRILLAOORLOG

AMBARAWA (MIDDEN-JAVA),
CIRCA SEPTEMBER 1947

De Eerste Politionele Actie werd op 5 augustus 1947 beëindigd met de afkondiging van een staakt-het-vuren. De strijd ging echter door. Rond-zwervende Republikeinse strijdgroepen schakelden in de door Nederland geclaimde gebieden over op een guerrillastrijd. Daarbij ontzagen zij de burger-bevolking niet, zeker als zij het vermoeden hadden dat de plaatselijke bewoners loyaal waren jegens de Nederlandse autoriteiten. De Nederlandse troepen stel-den daar een contraguerrilla tegenover, maar die was niet onverdeeld succesvol. De foto toont de smeulende resten van een kampong die door toedoen van een Republikeinse strijdgroep in vlammen is opgegaan. De Nederlandse militairen kunnen weinig anders doen dan nablussen, want de vijand is allang gevlogen.

Een tekst die er niet om liegt, waarbij de signatuur 'D.P.P.' vermoedelijk staat voor Dewan Pimpinan Pemoeda. Dit beschreven vlechtwerk was door strijders van deze Republikeinse strijdgroep achtergelaten op het eiland Madoera, waarvan de helft tijdens de Eerste Politionele Actie door de Nederlandse troepen was bezet. De DLC had de gewoonte een rooskleurig beeld te schetsen van het Nederlandse militaire optreden en de acceptatie daarvan door de inheemse bevolking. Vooral foto's waarop Nederlandse militairen hulp boden aan dankbare Indonesiërs werden volop verspreid. Omdat de DLC terughoudend was bij het naar buiten brengen van beelden die het thuisfront zouden kunnen verontrusten, is het opmerkelijk dat deze foto wel voor publicatie werd vrijgegeven. De beweegredenen daarvoor zijn niet bekend.

GUERRILLAOORLOG

OMGEVING BATOERADJA (ZUID-SUMATRA), CIRCA SEPTEMBER 1947

Sabotageacties door Republikeinse strijdgroepen waren gedurende de Indonesische onafhankelijkheidsoorlog aan de orde van de dag. Vaak moest de infrastructuur, die voor de Nederlandse troepen van groot belang was, het ontgelden. Bruggen en spoorwegen, die men onmogelijk permanent kon bewaken, waren herhaaldelijk het doelwit van dit soort opzettelijke vernielingen. Het was vechten tegen de bierkaai. Vaak werd de plaatselijke bevolking – al dan niet op basis van vrijwilligheid – ingezet om de verbindingen zo snel mogelijk te herstellen. Op de foto zorgen twee soldaten voor de beveiliging tijdens de werkzaamheden aan het vernielde baanvak Batoeradja-Rastapoera, een aantal weken na afloop van de Eerste Politionele Actie.

VERMOEDELIJK GRONINGEN, CIRCA 1947

Twee dames tijdens een opname van een 'gesproken brief' van het thuisfront aan een familielid onder de wapenen in Nederlands-Indië. In aanvulling op de vele over en weer geschreven brieven werden van tijd tot tijd ook familie-boodschappen uit het vaderland, soms met muzikale begeleiding, op een gram-mofoonplaat opgenomen voor onze jongens overzee. Zulke geluidsopnamen werden overigens ook in Nederlands-Indë gemaakt, waarbij de militairen dan familie en vrienden in het verre Holland konden toespreken. In een tijd waarin naast post-, telegram- en peperduur telefoonverkeer geen andere communica-tiemiddelen bestonden, voorzagen dergelijke berichten op bakeliet in een grote behoefte. De afstand tussen Nederland en Indië was eventjes wat minder groot.

• FOTO: PERSFOTOBUREAU FOLKERS

INDISCH ETEN

'R ats, kuch en bonen', de traditionele legerhap, stond in de militaire keuken in de Oost niet op het menu. In plaats daarvan deed de rijstmaaltijd in alle mogelijke variaties zijn intrede. Nadat de militairen naar Nederland waren teruggekeerd, hebben zij een bijdrage geleverd aan de in de jaren vijftig snel groeiende populariteit van het Chinees-Indische eten. Zij wilden hun familie en vrienden graag laten kennismaken met een smaakvolle keuken die zij zeer hadden leren waarderen. Ook binnen de landmacht bleven nasi en bami goreng en de rijsttafel populaire gerechten. Op de kazernes werd minstens eenmaal per week wel Indisch gegeten.

STATUS-QUO

Op 17 januari 1948 sluiten de Nederlandse regering en de leiding van de Republiek het Renville-akkoord. Daarin worden de afspraken herbevestigd die al in 1946 in de overeenkomst van Linggadjati waren gemaakt. De Republiek zegt toe haar troepen te zullen terugtrekken uit de gebieden die Nederland in de Eerste Politionele Actie heeft bezet. Overal in het land worden borden geplaatst om aan te geven waar de nieuwe 'status-quo-lijn' loopt. De partijen spreken tevens af dat vóór 1 januari 1949 een federale Indonesische staat zal worden gevormd. Als dat zou lukken, kon Nederland snel een begin maken met het terugtrekken van de eigen troepen, maar die hoop bleek ijdel.

REPATRIËRING

Onder druk van de Tweede Kamer en de samenleving besloot de regering om vanaf begin 1948 een deel van de naar Indië gezonden troepen naar Nederland terug te halen en te demobiliseren. Het ging hier om de oorlogsvrijwilligers die als eersten naar de Archipel waren gestuurd. Om de strijdmacht daar op sterkte te houden, werden weer nieuwe militairen uitgezonden. In verband met de verslechterende politiek-militaire situatie werd de repatriëring eind augustus echter opgeschort. Voor de militairen die in 1948 wel naar huis konden terugkeren, was het Indische avontuur voorbij. Voor hun in Indië achterblijvende collega's, die hadden gehoopt hen spoedig te kunnen volgen, lag nog een zware opgave in de vorm van de Tweede Politionele Actie in het verschiet.

• FOTO: LFFD

REPATRIËRING

Aankomst van het troepenschip m.s. *Groote Beer* in de haven van Amsterdam, met aan boord een groot aantal uit Nederlands-Indië teruggekeerde militairen. Een later onder Indiëveteranen veel gehoorde klacht was dat zij in Nederland slecht werden opgevangen. Zij ondervonden weinig begrip en belangstelling voor wat zij in Indië hadden meegemaakt. De dood van kameraden - bijna vijfduizend Nederlandse militairen kwamen in Indië om - en andere ingrijpende ervaringen konden niet door iedereen even goed worden verwerkt. Tot ergernis van veel Indiëgangers ontspon zich later bovendien een niet altijd even genuanceerd gevoerde discussie over de legitimiteit van het Nederlandse militaire optreden en over oorlogsmisdaden.

De kantinewagen was een welkome verschijning in de militaire kampementen. Het waren doorgaans legerdumptrucks waarvan de ombouw en de verscheping naar Indië door thuisfrontorganisaties en lokale overheden werden gefinancierd. Op de foto biedt een nogal verveloos exemplaar dat door Leeuwarden was geschonken, een groepje militairen een uitgebreid snackassortiment aan. Militairen stelden dit soort thuisfrontacties zeer op prijs, zo bleek onder meer uit een ingezonden brief van een Friese militair in de *Leeuwarder Courant* van 20 januari 1949. Bij het zien van deze kantinewagen, schreef hij, 'komt er een prop in de keel en die moet je even wegslikken… Dan zie je weer de vlakke weiden en de gladde meren en vergelijkt ze dan met de ruwe begroeiingen en de bergen hier.'

FOTOGRAFIE

PALEMBANG (ZUID-SUMATRA), AUGUSTUS/SEPTEMBER 1948

De toegenomen beschikbaarheid van camera's bood – anders dan in mei 1940 – veel in Indië dienende militairen de gelegenheid hun omgeving en belevenissen ter plaatse te fotograferen. Een van hen was de Almelose soldaat Benny Arke, die op de bijgaande foto de festiviteiten rond het vijftigjarig regeringsjubileum van koningin Wilhelmina vastlegt. Net als hij bedienden de meeste militairen zich van eenvoudige boxcamera's. De foto's vonden hun weg naar talloze persoonlijke albums. Veel van deze egodocumenten zijn inmiddels vanuit particulier bezit naar publieke instellingen overgegaan. Ook het NIMH bewaart een flink aantal waardevolle exemplaren in zijn collectie.

HOSPITAAL BATAVIA

Mevrouw M. Spoor-Dijkema, de echtgenote van legercommandant luitenant-generaal S.H Spoor, had een onmiskenbaar talent voor het vervullen van een rol als moderne Florence Nightingale: in de archieven van de DLC komen veel beelden voor die tonen hoezeer zij zich bekommerde om militairen die in een militair hospitaal waren opgenomen. Op de foto brengt mevrouw Spoor tijdens de Oranjefeesten ter gelegenheid van het regeringsjubileum van koningin Wilhelmina en de inhuldiging van koningin Juliana ijsjes rond aan patiënten in het militair hospitaal in Batavia.

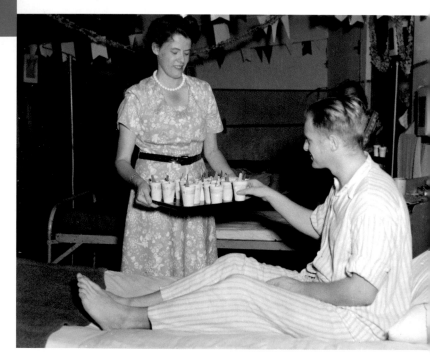

TIJGERJACHT

PALEMBANG (ZUID-SUMATRA),
10 OKTOBER 1948

De tropische natuur in Indië bood zeer bijzondere uitdagingen. Zo kon het thuisfront in het najaar van 1948 vernemen dat het, zoals het originele bij-schrift luidt, 'L.J. van Harte van het Korps M[ilitaire] P[olitie] gelukte [...] zondag-avond 10 oktober een tijger, die van kop tot staart 2.33 m [mat], neer te leggen. Hier poserend met zijn jachtgenoot Dr. J.H. Gezelschap uit Haaksbergen'.

Tijden veranderen. Tegenwoordig doet de krijgsmacht moeite om bij haar activi-teiten natuur en milieu zoveel mogelijk te ontzien. Van een dergelijke instelling was ruim zestig jaar geleden duidelijk nog geen sprake.

WATEROVERSTEEK

De terreinomstandigheden en de beperkte infrastructuur in de Indische archipel vroegen veel van de creativiteit en het improvisatievermogen van de Nederlandse militairen. Tijdens een grote oefening van het 4e Bataljon van het 1e Regiment Infanterie wordt een Dodge *weapon carrier* op een van rubberboten gebouwd overzetveer geduwd om vervolgens naar de andere oever van de kali (rivier) te worden gevaren. Dat was althans de bedoeling van al deze inspanningen, maar of het voertuig ook daadwerkelijk de overkant heeft bereikt, weten we niet. De operatie lijkt in ieder geval niet van risico gespeend.

OPERATIE KRAAI

Op 19 december 1948 begon operatie *Kraai*, beter bekend als de Tweede Politionele Actie. Het ging om Nederlands laatste grote offensief in de strijd tegen de Republiek. Op de foto een Nederlands konvooi tijdens de opmars naar Solo. De militaire resultaten van deze operatie waren wisselend. Op Midden-Java slaagden de Nederlandse troepen er weliswaar in de politieke leiding van de Republiek gevangen te nemen, maar nergens wisten zij het Indonesische leger in te sluiten en uit te schakelen. De guerrilla groeide hierna hand over hand. Vanuit een internationaal-politiek oogpunt was de actie een complete mislukking. Het Nederlandse militaire optreden werd alom afgekeurd als een daad van agressie. Vanwege de militaire problemen en de druk van de internationale gemeenschap moest Nederland Indonesië uiteindelijk volledig prijsgeven.

OPERATIE KRAAI

Nog een dynamisch beeld van de Tweede Politionele Actie op Midden-Java: militairen van de V-Brigade tijdens straatgevechten in Solo. De hier aanwezige Republikeinse troepen richtten weliswaar veel schade in de stad aan, maar boden verder weinig weerstand. Toen de Nederlandse militairen naderden, trokken zij zich grotendeels 'ordelijk' terug. Niet overal op Java ging het de Nederlandse eenheden echter zo gemakkelijk af. Zo wist de Mariniersbrigade tot ergernis van legercommandant Spoor pas na veel vertraging op 27 december het oostelijker gelegen Madioen te bereiken, twee dagen nadat een KNIL-bataljon van de V-Brigade, komende uit Solo, de stad reeds via een andere route had bezet.

• FOTO: T. SCHILLING (DLC)

OPERATIE KRAAI

Nederlandse militairen poseren voor een fotograaf van de DLC tijdens de beginfase van de Tweede Politionele Actie. Triomfantelijk staan zij bij een gevangengenomen mortiersectie van de Indonesische strijdkrachten. Aangezien de meeste Republikeinse strijders het Nederlandse offensief niet lijdzaam afwachtten en tijdig een goed heenkomen zochten, konden de legerfotografen dergelijke scènes slechts zelden vastleggen. Zij moesten zich mede daardoor meestal beperken tot foto's van Nederlandse militairen tijdens de opmars. De vaak zo onzichtbare vijand kregen zij maar zelden voor de lens.

OPERATIE KRAAI

Nadat Nederlandse parachutisteneenheden aan het begin van operatie *Kraai* waren ingezet om Djokjakarta te veroveren, werden ze eind december naar Zuid-Sumatra gevlogen om onder de codenaam *Ekster* een bijdrage te leveren aan de actie aldaar. Probleemloos verliepen de gevechtshandelingen op Zuid-Sumatra bepaald niet. De Republikeinse strijdgroepen zagen kans een groot deel van de economische infrastructuur te vernielen, waaronder veel bedrijven en een aantal olie-installaties. De lachende militairen op de foto lijken daar ondanks de zwarte rookwolken op de achtergrond niet erg mee te zitten, maar wie weet hoe zij zich op dat moment werkelijk voelden. Een foto zegt, als het daarom gaat, zeker niet alles.

OPERATIE KRAAI

OMGEVING SEKAJOE (ZUID-SUMATRA), JANUARI 1949

Een clichébeeld van de strijd, maar daardoor niet minder waarheidsgetrouw: Nederlandse militairen delen tijdens de Tweede Politionele Actie snoep en sigaretten uit onder de Indonesische bevolking. Er waren onder de bevolking zeker ook mensen die het Indonesische streven naar onafhankelijkheid niet steunden of in ieder geval meenden dat een voortzetting van de Nederlandse aanwezigheid – in welke vorm dan ook – voor hen voordelig zou kunnen uitpakken. De Nederlandse legerleiding besefte dat zij de steun van de bevolking nodig had om de strijd tegen de Republikeinse troepen in haar voordeel te kunnen beslechten.

257

BEELDVORMING

Drie soldaten doen inkopen op een Javaanse pasar (markt). Veel militairen hadden weliswaar wat woordjes Indonesisch geleerd, maar moesten verder, om hun wensen duidelijk te maken, vooral met gebaren werken. Voor de plaatselijke middenstand waren de militairen, die niet veel maar in ieder geval wel iets te spenderen hadden, geen slechte klanten. De Hollandse jongens kochten vaak tropische lekkernijen om hun rantsoen aan te vullen, terwijl velen ook een groot deel van hun soldij besteedden aan snuisterijen voor thuis. Het contact met de inheemse bevolking was voor veel militairen, van wie het merendeel daarvóór nog nooit in het buitenland was geweest, een onvergetelijke ervaring.

BEELDVORMING

KOBAK WIROE (JAVA), 1949

In de jaren van 1947 tot 1950 was de DLC, die rechtstreeks onder legercommandant Spoor ressorteerde, verantwoordelijk voor het geven van voorlichting over militaire aangelegenheden in Nederlands-Indië. De DLC beschikte over een foto- en filmdienst die het militaire leven in Indië registreerde, maar daarnaast ook oog had voor het doen en laten van de inheemse bevolking. Foto's van militaire acties en dan vooral die waarbij doden of gewonden te betreuren waren, werden doorgaans niet naar buiten gebracht, maar ook vreedzame beelden konden de toets der kritiek soms niet doorstaan. De hierbij afgedrukte opname is daarvan een voorbeeld. De kleding van de vrolijk lachende wasvrouwen was vermoedelijk naar de smaak van de censors iets te minimaal.

CONTACT THUISFRONT

NEDERLANDS-INDIË, CIRCA MAART 1949

De facteur verdeelt de post uit Nederland onder de toegestroomde militairen. Het lijntje met thuis werd steeds belangrijker. Op het moment waarop deze foto werd gemaakt waren veel militairen al bijna drie jaar in Indië. Om het moreel van de militairen hoog te houden was een goede en vooral regelmatige postvoorziening van groot belang. Ook de meest afgelegen buitenposten mochten daarbij niet uit het oog worden verloren. In de periode waarin de Nederlandse troepenmacht in Nederlands-Indië op haar grootst was, had het in Amsterdam gevestigde veldpostdetachement, dat het brievenverkeer met de overzeese gebiedsdelen afhandelde, een sterkte van ongeveer 120 militairen.

GENEESKUNDIGE VERZORGING

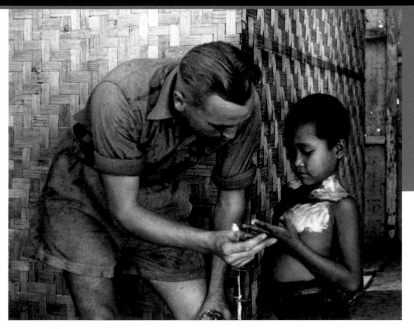

GAROET (WEST-JAVA), CIRCA MAART 1949

Een van de terreinen waarop de Nederlandse militaire aanwezigheid de lokale bevolking zichtbaar ten goede kwam, was de medische zorg. In de Republikeinse gebieden heersten vaak armoede en voedselgebrek, waardoor de daar woonachtige bevolking extra vatbaar was voor al dan niet besmettelijke tropische ziekten en aandoeningen. Wanneer in zulke gebieden het Nederlandse militaire gezag zijn herintrede deed, zoals na de twee Politionele Acties, dan hadden de militairen van de geneeskundige dienst veel werk omhanden. Op de foto inspecteert een hospitaalsoldaat een jongetje met schurft uit de omgeving van een buitenpost in Garoet. Het moge duidelijk zijn dat de DLC beelden als deze graag de wereld instuurde.

VERVELING

Met een gemiddelde Indische diensttijd van drie jaar lag voor de militairen, zeker als de situatie rustig was, de verveling op de loer. Omdat het buiten de kampementen lang niet altijd veilig was, was de bewegingsvrijheid van de militairen doorgaans aan de nodige restricties onderworpen. Noodgedwongen brachten zij veel vrije uren door in hun kampement, waar de ontspanningsmogelijkheden dikwijls niet om over naar huis te schrijven waren. Zoals de foto toont, was de legering zelf ook allesbehalve luxueus. Post van thuis, boeken, kranten en tijdschriften, het bezoek van de kantinewagen en het sporadische amusement van de door de Dienst Welfare gecontracteerde artiesten hielpen mee de dagelijkse sleur te doorbreken.

BEGRAFENIS GENERAAL SPOOR

BATAVIA, 28 MEI 1949

Na de mislukte Tweede Politionele Actie kwam Nederland internationaal erg zwak te staan. Het kon de druk van zowel de Verenigde Naties als de Verenigde Staten, die partij kozen voor de Indonesische Republiek, niet langer weerstaan. In het in mei 1949 tot stand gekomen Van Roijen-Roem akkoord ging ons land ermee akkoord dat het de soevereiniteit over de archipel nog dat jaar aan de Republiek zou overdragen. Legercommandant Spoor maakte de uitwerking van deze overeenkomst niet meer mee. Op 23 mei werd hij getroffen door een hartaanval, waaraan hij twee dagen later overleed. De dood van de legercommandant kwam bij veel militairen hard aan. Op 28 mei werd hij op het ereveld Menteng Poelo begraven te midden van andere daar ter ruste gelegde Nederlandse militairen.

• FOTO: DLC

MORTIERSCHUTTERS

'**D**at gaat knallen', schreef de toenmalige sergeant-oorlogsvrijwilliger W.G.A. Faber bij deze foto in zijn album. Wat Faber bijzonder maakte, was niet dat hij tijdens zijn Indiëtijd veel fotografeerde, want dat deden veel van zijn kameraden ook, maar wel dat hij dit deels in kleur deed. Reproductieafdrukken van zijn Agfacolor-dia's vonden eind jaren negentig hun weg naar de fotocollectie van het NIMH. Deze foto dateert van vlak voor de wapenstilstand van augustus 1949. Mannen van de Ondersteuningscompagnie van het 4e Bataljon van het 4e Regiment Infanterie, waarbij Faber als sectiecommandant was ingedeeld, vuren een 3-inch-mortier af.

SABOTAGE

In augustus 1949 werd op Java en Sumatra een wapenstilstand afgekondigd. De vijandelijkheden namen hierna weliswaar af, maar de spanning bleef te snijden. Over en weer vonden bestandsschendingen plaats. De gespannen situatie leidde zelfs in september nog tot een discussie tussen de politieke autoriteiten en de legerleiding in Batavia over een eventuele derde politionele actie, maar daar wilde de politieke top toch niet aan. De Ronde Tafel Conferentie die van augustus tot november 1949 in Den Haag werd gehouden, resulteerde in een akkoord waarin Nederland beloofde de soevereiniteit over Indonesië op 27 december 1949 over te dragen en zijn troepen zo snel mogelijk terug te trekken. Op de foto zien we de resultaten van een sabotageactie van Indonesische zijde, lang nadat het bestand was ingegaan.

REPATRIËRING

In aanloop naar de definitieve soevereiniteitsoverdracht aan de Verenigde Staten van Indonesië keerde een groot aantal Nederlandse militairen in de tweede helft van 1949 terug naar huis. Het vertrek uit Indië werd doorgaans voorafgegaan door een gezamenlijk laatste eerbetoon aan de gevallenen van het eigen onderdeel. Bij het afscheid van het 2e Regiment Veldartillerie op het ereveld Menteng Poelo leidt aalmoezenier pater P.J. van Waterstoot de ceremonie. Dat de overzee omgekomen militairen in Indonesië achterbleven, maakte voor de nabestaanden het verlies dat zij moesten dragen extra zwaar.

SURINAME

En gemoedelijk groepsportret van een bosnegerfamilie en een landmacht-
militair centraal op de foto. Zulke plaatjes deden het in Nederland ongetwijfeld goed. Het internationale belang van Suriname was tijdens de Tweede
Wereldoorlog toegenomen door de winning van bauxiet, de grondstof voor alu-
minium. Het door de VS aangelegde vliegveld Zanderij bij Paramaribo vormde
bovendien een belangrijke schakel in het door dit land opgezette wereldwijde
netwerk van luchthavens. Nadat de Amerikaanse troepen zich na de oorlog hadden terugtrokken, werden in 1946 en 1947 twee detachementen oorlogsvrijwilligers naar Suriname gezonden, ter versterking van de weinige KNIL-militairen
die zich er op dat moment nog bevonden. Na de opheffing van het KNIL in 1950
kwam de defensie van Suriname in handen van de KL.

NEDERLANDSE ANTILLEN

Na afloop van de Tweede Wereldoorlog werden alle KL- en KNIL-militairen die dienden in de Nederlandse Antillen, verzameld in de Landmacht Nederlandse Antillen. Bijna alle landmachtmilitairen waren gelegerd op Curaçao; een klein detachement lag op Aruba. In 1951 kwam er een nieuwe taakverdeling tussen landmacht en marine. De eerste nam de defensie van Suriname voor haar rekening, de tweede ging nu alleen waken over de veiligheid van de Nederlandse Antillen. Op 6 april 1951 nam de KL afscheid van de Nederlandse Antillen en droeg ze het commando over aan het Korps Mariniers. Op de foto een moment uit deze plechtigheid, met op de achtergrond de in 1858-1859 gebouwde Koning Willem III kazerne in het Waterfort, die een paar jaar later zou worden afgebroken.

• FOTO: G.A.C. CROESE

NIEUW-GUINEA

Het zogeheten Geniecomplex in Hollandia-Haven op Nederlands Nieuw-Guinea. Bij de overdracht van de soevereiniteit aan Indonesië had Nederland
bedongen dat westelijk Nieuw-Guinea voorlopig nog onder Nederlands gezag
zou blijven. Dat bracht met zich mee dat de KL zich moest gaan bekommeren om
de defensie van dit immens grote eilanddeel. De huisvesting in Nieuw-Guinea
was in die begindagen erg gebrekkig. Open riolen waren geen uitzondering. Dit
vormde in combinatie met het vochtige en warme klimaat een groot gevaar voor
de gezondheid van de militairen. Ook de aanvoer van goederen verliep proble-
matisch. Het was dan ook niet vreemd dat het moeilijk was voldoende personeel
te vinden voor een uitzending naar Nieuw-Guinea. Positieve verhalen in *De
Legerkoerier* mochten niet baten.

'**G**ezelligheid aan de rand van het oerwoud', zo luidde in de *Legerkoerier* van augustus 1952 het commentaar bij deze foto. Op initiatief van dominee W.F. Jense toverde een aantal in Ifar gelegerde militairen met niet veel meer dan wat planken en een lik verf een uit de Tweede Wereldoorlog stammende Amerikaanse quonset – een prefab onderkomen van golfplaten – om tot een wit kerkje, met op de spits een kruis van groen neonlicht. Deze geïmproviseerde kerk bood de kleine militaire gemeenschap in Ifar de gelegenheid om naar de radio te luisteren, boeken te lezen en ervaringen met lotgenoten uit te wisselen. Het was niet veel, maar het bood toch enige afleiding.

Op aandrang van Nederland was Nieuw-Guinea uitgesloten van de soevereiniteitsoverdracht aan Indonesië in december 1949. Over de toekomst van dit deel van het vroegere Nederlands-Indië moest nog verder worden onderhandeld. Op het moment van de soevereiniteitsoverdracht bevond zich slechts een kleine troepenmacht in het gebied. Eind 1949 vertrokken daarom de KL-eenheden van Sumatra naar Nieuw-Guinea. De militairen kwamen in een totaal andere omgeving terecht. Economisch was het gebied nauwelijks ontwikkeld en een flink deel van de Papoeabevolking leefde nog op voorouderlijke wijze in kleinere stamverbanden, zoals de bijgaande foto uit de omgeving van het Cycloopgebergte illustreert.

NIEUW-GUINEA

HOLLANDIA (NIEUW-GUINEA), CIRCA JANUARI 1954

Geleidelijk aan verbeterden de voorzieningen voor de KL-eenheden op Nieuw-Guinea. In de hoofdstad Hollandia werd een nieuwe kazerne gebouwd, het Generaal Majoor Peterskamp. Op de foto zien we de gloednieuwe kantine. Lang zouden de KL-militairen hiervan niet genieten, want op 1 januari 1955 droeg de KL zijn taken op Nieuw-Guinea over aan de Koninklijke Marine. Dit krijgsmachtdeel werd beter in staat geacht eventuele Indonesische infiltraties te keren; bovendien was de KL harder nodig in Europa, waar de Koude Oorlog in volle gang was.

JANGGANDOER (OMGEVING MERAUKE, NIEUW-GUINEA), CIRCA 1961

Nieuw-Guinea groeide al snel uit tot een twistappel tussen Nederland en Indonesië, en niet alleen aan de onderhandelingstafel. Indonesische een-heden voerden af en toe infiltraties uit, die de verdedigers maar moeizaam kon-den onderscheppen. De speldenprikken groeiden allengs uit tot een echte bedreiging. Dat leidde in 1960 tot het besluit om hier opnieuw KL-eenheden in te zetten. In april 1960 besloot de minister van Defensie, S.H. Visser, om onder meer een versterkt infanteriebataljon van ruim negenhonderd man en een afdeling lichte luchtdoelartillerie naar Nieuw-Guinea te sturen. Op de foto spreken leden van een gemotoriseerde patrouille in een dorp bij Merauke met de lokale Papoeabevolking. Hun materieel bestaat uit een NEKAF M38 A1 commandojeep en een DAF YA 126 wapendrager.

SORONG (NIEUW-GUINEA), MEI-JUNI 1962

De spanningen op en om Nieuw-Guinea liepen steeds verder op. Indonesië liet op grote schaal militaire infiltraties op het eiland uitvoeren. Onder internationale druk stemde Nederland in met onderhandelingen, die in maart 1962 van start gingen. Tegelijkertijd voerde Indonesië echter de infiltraties verder op. Nederland stuurde in reactie daarop meer eenheden naar het gebied. Het conflict leek uit te monden in een militaire krachtmeting, maar werd in augustus op het nippertje aan de onderhandelingstafel beslecht. Het oppakken van geïnfiltreerde Indonesische militairen was als het zoeken naar een speld in een hooiberg. Zonder hulp van de papoeabevolking konden de Nederlandse militairen hierbij niet. De foto toont een zeldzaam beeld: Nederlandse eenheden, met steun van papoea's, voeren gevangen genomen Indonesische infiltranten af.

Nadat in augustus 1962 in Nieuw-Guinea een wapenstilstand was afgekondigd, werd het bestuur over het gebied in oktober aan de Verenigde Naties overgedragen. Een half jaar later droegen deze het gezag alsnog over aan Indonesië. Nederland kon weinig anders doen dan zich neerleggen bij het verlies van dit laatste deel van zijn imperium in Azië. Op de foto zien we een impressie van de terugkeer in Rotterdam van 1055 militairen van 41 Infanteriebataljon Stoottroepen en 940 Afdeling Lichte Luchtdoelartillerie. Zij zijn zojuist van boord gegaan van de *Seven Seas*, die hen in Nieuw-Guinea had opgehaald. Op de kade zwaaide de chef van de Generale Staf, luitenant-generaal A.V. van den Wall Bake, de thuiskomers lof toe.

SURINAME

O p 14 oktober 1957 kregen de landmachteenheden die in Suriname waren gestationeerd een nieuwe naam: Troepenmacht in Suriname (TRIS). Evenals haar voorgangers had de TRIS, die de omvang van een zelfstandig bataljon had, een dubbele opdracht. Zij moest Suriname verdedigen tegen een buitenlandse agressor en zo nodig militaire bijstand verlenen bij binnenlandse onrust. Naast deze militaire en politionele taken was de TRIS ook op andere terreinen actief, zoals op het gebied van de gezondheidszorg. De foto, die waarschijnlijk ergens diep in het binnenland is genomen, geeft een goed beeld van hoe de eerstelijns medische hulp in de praktijk werd verleend.

SURINAME

Een Surinaamse dienstplichtige oefent zich tijdens een jungletraining in het gebruik van het kompas. De TRIS had zowel Surinaamse als Nederlandse dienstplichtigen in de gelederen. De Surinamers werden ter plekke opgeleid, terwijl de Nederlandse jongens eerst een basisopleiding in eigen land genoten. Die laatste categorie militairen ging na aankomst in Suriname naar het Bosbivak Zanderij voor een aanvullende opleiding van vier maanden. Deze cursus bestond uit onder meer een individuele en algemene militaire vorming, een voortgezette en functieopleiding, oefeningen 'kleine oorlog' en jungletraining. Daarbij leerden de infanteristen hoe zij in het oerwoud moesten overleven, zich moesten oriënteren en verplaatsen, een bivak moesten overvallen en hinderlagen leggen. Het was allemaal veel avontuurlijker dan de doorsnee diensttijd op de hei.

SURINAME

Einde van een tijdperk: op 24 november 1975 wordt Suriname onafhankelijk en houdt de TRIS op te bestaan. De nieuw gevormde Surinaamse Krijgsmacht nam de verdediging van het land op zich. Veel Surinaamse TRIS-militairen gingen over naar het leger van de jonge staat. Voor de Nederlandse dienstplichtigen zat de klus in de tropen er op. Hun thuiskomst was bepaald geen droevige gebeurtenis, zoals de foto duidelijk maakt. Een van de militairen, die zich vermoedelijk door de toen populaire televisiequiz *Een van de acht* heeft laten inspireren, maakt er bij de aankomst op Schiphol een dolle boel van.

• FOTO: J. VAN KUIK (LFFD)

VAANDELS, TAPTOES EN MEDAILLES: CEREMONIEEL

INHULDIGING WILHELMINA

De krijgsmacht onderhoudt vanouds nauwe banden met het Huis Oranje-Nassau, waarvan het hoofd sinds 1815 koning dan wel koningin van ons land is. In de 19e eeuw maakten officieren, van wie een minderheid zelf van adellijke komaf was, nog een vooraanstaand deel van de vorstelijke entourage uit. Plechtigheden van de Oranjes, zoals de inhuldiging van de jonge koningin Wilhelmina in 1898, gingen altijd met veel militair ceremonieel gepaard. Op de foto is te zien hoe cadetten en adelborsten van het oudste studiejaar een ere-haag vormen langs de met visnetten bespannen pergola tussen het Paleis op de Dam en de Nieuwe Kerk.

MILITAIR SCHILDER

De kunstenaar die we hier op de Arnhemse Willemskazerne aan het werk zien, is niet zomaar een zondagsschilder, maar niemand minder dan Jan Hoynck van Papendrecht (1858-1933). Hoynck van Papendrecht was een meester in het vervaardigen van militaire en militair-historische genrestukken. De precisie die hij in zijn tekeningen, aquarellen en olieverfschilderijen aan de dag legde, maken dat zijn werken tegenwoordig betrouwbare historische bronnen zijn voor de destijds nog kleurrijke militaire uniformen en uitrustingsstukken. Zijn omvangrijke oeuvre vond in de loop der jaren zijn weg naar tal van musea en particuliere verzamelingen.

FEEST GRENADIERS EN JAGERS

Een eenheid die vanouds veel belang aan ceremonieel en traditie hechtte, was het Regiment Grenadiers en Jagers. Doordat het regiment tot 1940 in de hofstad Den Haag was gelegerd, onderhield het een hechte relatie met de Oranjes. In juli 1904 vierden de Grenadiers en Jagers feest ter gelegenheid van het 75-jarig bestaan van het regiment. De Oranjekazerne aan de Mauritskade was voor die gelegenheid uitbundig versierd, waarbij de verbondenheid met het koninklijk huis op niet mis te verstane wijze tot uitdrukking werd gebracht. Een comité van deftige Haagse heren deed namens de burgerij van die stad het jarige regiment een bronzen buste van koning Willem I cadeau.

FEESTELIJKHEDEN KMA

De Koninklijke Militaire Academie (KMA), die sinds haar oprichting in 1828 in het Kasteel van Breda is gehuisvest, viert jaarlijks op 24 november haar dies natalis ofwel haar verjaardag. In 1908 werden de feestelijkheden ter gelegenheid van het tachtigjarig bestaan van de Academie over twee dagen uitgesmeerd. Op beide dagen voerde een groep cadetten onder leiding van eerste luitenant M. Belzer een programmaonderdeel uit dat omschreven stond als 'Uitvoeringen van het Reglement op de Exercitiën van de Infanterie van 1830'. Zoals de foto laat zien, droegen zij voor die gelegenheid uniformen uit die tijd. De *Cadettenalmanak* was erg enthousiast over 'dit succesvolle nummer'.

MILITAIRE MUZIEK

PLAATS ONBEKEND, CIRCA 1915

Bij een foto als deze is het jammer dat het geluid ontbreekt. Een niet nader te duiden militair muziekkorps doet zo te zien zijn best een mars te vertolken en daarbij netjes in de pas te lopen. Dat dit niet vlekkeloos gaat, is op dit rommelige beeld goed te zien. De slordige indruk wordt nog versterkt door het gebrek aan uniformiteit in de kleding. De trompetter, rechts buiten de formatie, lijkt vooral bezig met het terugvinden van zijn plaats in het gelid. Het contrast met de stram staande militairen, uiterst rechts op de foto, is groot. In de mobilisatietijd was het moeilijk goed geoefende muzikanten te vinden om de vele militaire muziekkorpsen te vullen. Dat verklaart wellicht dit ongeordende voorkomen.

COMMANDO-OVERDRACHT 17 RI

Tijdens een ingetogen plechtigheid draagt luitenant-kolonel H.F.C. baron van Omphal Mulert het commando over het 17e Regiment Infanterie over aan luitenant-kolonel K.E.M. Vogel. Terwijl de officieren hoog te paard zitten, staan hun echtgenotes stevig op eigen benen. De militairen van 17 RI, dat tijdens de mobilisatie in de omgeving van Breda was gelegerd, marcheren aan dit selecte gezelschap voorbij. Voor baron Van Omphal Mulert viel het afscheid van zijn troepen samen met een verdere stijging op de militaire ladder. Hij had inmiddels een bevordering tot kolonel en een benoeming tot commandant van de Brigade Grenadiers en Jagers op zak.

HUZAREN IN GALOP

De bereden wapens zijn altijd goed geweest voor spektakel. Bij het zien van dit beeld van een groep huzaren die door een duinlandschap galoppeert, is weinig verbeeldingskracht nodig om te beseffen hoe imposant dit tafereel in levenden lijve moet zijn geweest, compleet met kleur, geur, geluid en beweging. Een van de ruiters draagt een standaard, toebehorend aan een van de cavalerie-regimenten. Een dergelijk schouwspel laat het leger tegenwoordig niet meer zien, maar wie toch graag nog iets van die oude militaire sfeer wil opsnuiven, zou op de derde maandag in september naar het Scheveningse strand moeten gaan. Daar worden dan de paarden die op Prinsjesdag aan het Cavalerie Ere-escorte deelnemen, aan gewenningsoefeningen onderworpen.

KONINKLIJKE MILITAIRE KAPEL

HARDERWIJK, 24 SEPTEMBER 1924

De Koninklijke Militaire Kapel 'Johan Willem Friso' is het oudste nog bestaande en tevens het bekendste landmachtorkest van Nederland. De huidige kapel is het resultaat van een samensmelting van de in 1829 opgerichte Koninklijke Militaire Kapel (KMK) en de tien jaar oudere Johan Willem Friso Kapel. De KMK ontstond als muziekkorps van de eveneens in 1829 opgerichte Afdeling Grenadiers. In de jaren twintig van de 20e eeuw werd het toch al hoge muzikale niveau van de kapel verder opgevoerd onder leiding van kapelmeester en directeur C.L. Walther Boer. De kapel trad veelvuldig op, zowel in eigen land als incidenteel ook op internationale podia. Op de foto brengt de KMK op de markt in Harderwijk een middagconcert ten gehore.

BEZOEK EMMA

Voordat de Koninklijke Luchtmacht in 1953 een zelfstandig krijgsmachtdeel werd, maakten de luchtstrijdkrachten, aanvankelijk onder de naam Luchtvaartafdeeling (LVA), deel uit van de landmacht. De LVA werd in 1913 op het vliegveld Soesterberg opgericht. Vijftien jaar later brengt koningin-moeder Emma – in het midden van de foto – een bezoek aan deze bakermat van het luchtwapen. In het *Gedenkboek van de Luchtvaartafdeeling 1913-1938* omschrijft de auteur, J.W. Wijn, dit bezoek als 'een der schoonste herinneringsdagen voor de L.V.A'. Een knap staaltje van moderne techniek was de overhandiging aan Emma van een luchtfoto waarop haar aankomst op het vliegkamp was vastgelegd. Deze opname – een andere dan de hier afgebeelde – was binnen één uur ontwikkeld en afgedrukt.

BEËDIGING

E en militaire loopbaan, zeker als het die van een officier betreft, kent een aantal met ceremonieel omlijste ijkpunten. Een van zulke momenten is de beëdiging. De eedsaflegging is binnen het genre van het militaire ceremonieel waarschijnlijk het meest gefotografeerde type gebeurtenis. De hier getoonde foto is hiervan een compositorisch fraai voorbeeld dat met zijn ingehouden spanning de plechtige betekenis van het moment haast voelbaar maakt. Kenmerkend voor beëdigingsfoto's is de centrale plaats die het vaandel inneemt. De plaats van handeling is het exercitieveld bij de Kromhoutkazerne in Utrecht. De militairen maken deel uit van het Regiment Genietroepen.

WAPENSCHOUW DEN HAAG

Het veertigjarig regeringsjubileum van koningin Wilhelmina bracht een grote legermacht op de been. Tijdens een wapenschouw op de Haagse Van Alkemadelaan paradeerden militairen met hun materieel langs de koninklijke familie, die vanuit een paviljoen ter hoogte van de Pompstationsweg het spektakel gadesloeg. Deze foto is elders op de route genomen, namelijk vanaf de enkele dagen later op te leveren Nieuwe Alexanderkazerne, waarvan op de voorgrond de omheining zichtbaar is. Aan de overzijde ligt het terrein waar een aantal jaren later de Nieuwe Frederikkazerne zou verrijzen. De grote massa toeschouwers ziet zojuist de Landsverk M.36's van het 1e Eskadron Pantserwagens voorbijkomen. Een ploeg van Polygoon legt het militair vertoon op film vast voor het bioscoopjournaal.

MUZIEKKORPS WIELRIJDERS

Het opvallendste muzikale gezelschap in het Nederlandse leger was het Muziekkorps Regiment Wielrijders. De wielrijders waren erin geslaagd een korps te formeren dat zich op aangepaste fietsen al spelend kon voortbewegen. Of dat nog niet voldoende was, werden er tijdens het fietsen ook nog figuren beschreven. Dat het daarbij soms allemaal niet even toon- en koersvast ging, werd door het publiek meestal welwillend door de vingers gezien. Het Muziekkorps Regiment Wielrijders was uniek in zijn soort: nergens ter wereld deed men dit staaltje van tweewieler- en instrumentbeheersing na. Het korps verstevigde daarmee de reputatie van ons land als 'fietsende natie'.

TROMPETTERKORPS PANTSERWAGENS

Trompetters van het 1e Eskadron Pantserwagens achterop de Harley-Davidson bij hun collega-motorrijders. Het trompetterkorps van het eskadron trad in deze samenstelling regelmatig op tijdens ceremoniële gelegenheden. Het is een goed voorbeeld van een manifestatie van de strijdkrachten waarbij het showelement nadrukkelijk op de voorgrond trad. Het repertoire van de trompetters bestond uit cavaleriesignalen; veel muzikale variëteit konden zij het publiek derhalve niet bieden. Hun optreden was een bij militair vertoon wel vaker voorkomende mengeling van oude en moderne vormen. Het van het normale tenue afwijkende witte ledergoed werd de trompetters in 1937 geschonken door de burgerij van Den Bosch.

DEFILÉ DEN HAAG

Met de afkondiging van de mobilisatie in augustus 1939 kwam een relatief groot leger onder de wapenen. Hoewel de legerleiding besefte dat er aan deze strijdmacht mede als gevolg van jarenlange bezuinigingen het nodige schortte, schatte zij de kansen van Nederland in een mogelijke oorlog niet bij voorbaat als hopeloos in. De opperbevelhebber en zijn ondercommandanten zagen het hoe dan ook als hun plicht vertrouwen uit te stralen en daarom probeerden zij het Nederlandse leger zo positief mogelijk aan de buitenwacht – van de eigen bevolking tot de internationale gemeenschap – te presenteren. Het regelmatig ten tonele voeren van paraat ogende eenheden tijdens defilés en parades, waarbij de pers werd uitgenodigd, maakte deel uit van deze strategie.

MUZIEKKORPS LONDEN

De landmachtmilitairen die vanaf mei 1940 naar Engeland waren uitgeweken, begonnen met Britse hulp aan de opbouw van een nieuwe strijdmacht. Door de personele en materiële tekorten en een niet altijd even hoog moreel was dit een lastige opgave. Toch kwam het op 11 januari 1941 tot de oprichting van de Koninklijke Nederlandse Brigade, die later het predikaat 'Prinses Irene' kreeg. Het was tekenend voor het grote belang dat het leger aan militaire muziek hechtte dat de brigade snel over een eigen muziekkorps ging beschikken. De foto toont het eerste optreden in de straten van Londen, precies een jaar na de Duitse inval. Het korps zou later ook optredens verzorgen voor de BBC en Radio Oranje.

AFSCHEID IRENEBRIGADE

En zomerse dag in 1945. Op het Lange Voorhout in Den Haag heerst een opgewonden drukte ter gelegenheid van het afscheidsdefilé van de Irenebrigade. Prins Bernhard, op dit moment nog bevelhebber der Nederlandse Strijdkrachten, en kolonel A.C. de Ruyter van Steveninck, de commandant van de brigade, vormen het middelpunt van de ceremonie. Vanuit een open Mercedes, die - zo mogen we aannemen - op de Duitsers was buitgemaakt, groeten zij de troepen. Eerder die dag had prins Bernhard de Militaire Willems-Orde aan het vaandel van de brigade gehecht. De eenheid zou overigens pas in december 1945 formeel worden opgeheven. Toen stond al vast dat er een nieuw regiment met de naam 'Prinses Irene' zou worden opgericht.

MILITAIRE WILLEMS-ORDE

Koning Willem I stelde in 1815 de Militaire Willems-Orde (MWO) in. Het is Nederlands hoogste dapperheidsonderscheiding. Kort na de Tweede Wereldoorlog werden circa tweehonderd mannen en vrouwen met de MWO geëerd, uit erkenning voor hun excellente daden van moed, beleid en trouw in de strijd tegen Duitsland en Japan. Onder hen bevonden zich niet alleen militairen, maar ook burgers die in het verzet hadden gezeten. In de jaren na de oorlog werd diverse malen een grote ceremonie georganiseerd, zoals hier op de foto in Assen, waarbij een groot aantal vaderlanders gelijktijdig met een MWO of een andere dapperheidsonderscheiding werd gelauwerd. Koningin Wilhelmina, vergezeld van prins Bernhard, is zojuist gearriveerd om de uitreiking te verrichten.

ADOPTIE PALMBOOMDIVISIE

E en opmerkelijk fenomeen in de tweede helft van de jaren veertig was de
adoptie door lokale overheden en hun burgers van militaire eenheden die
naar Nederlands-Indië vertrokken. Zo ontfermde de gemeente Hoorn zich over
de 2e (D-)Divisie, die ook wel de Palmboomdivisie werd genoemd. Om hun dank
te betuigen, houden militairen van deze divisie vlak voor hun vertrek naar de
Oost onder grote publieke belangstelling een mars door de stad. De militairen
komen pelotonsgewijs vanuit de Grote Noord aangelopen. De geadopteerde
divisie zou tijdens haar verblijf overzee op verschillende manieren door de inwo-
ners van Hoorn worden gesteund.

FELICITATIE IRENE

Prinses Irene, die op 5 augustus 1939 ter wereld kwam, werd kort na haar geboorte petekind van de krijgsmacht. Tevens werd de in Engeland opgerichte brigade op 27 augustus 1941 naar haar vernoemd. De band die zij met de strijdkrachten had, verklaart waarom op haar verjaardag menigmaal een militaire delegatie naar paleis Soestdijk toog om haar te feliciteren. En die afvaardiging kwam nooit met lege handen. In 1947 bracht zij zelfs een gigantische taart mee, met daarop een aantal suikerfiguren die militairen van de diverse krijgsmachtdelen voorstelden. Volgens het tijdschrift *Ons Leger* werd de taart vervolgens met de sabel van de delegatieleider, ritmeester H.H.R. van der Laan, aangesneden.

Prins Bernhard werd in 1945 benoemd tot inspecteur-generaal der Koninklij-ke Landmacht, een functie die veel ceremoniële plichtplegingen met zich meebracht. Later ging hij deze functie ook uitoefenen voor de Koninklijke Marine en de Koninklijke Luchtmacht. In 1970 werden de drie functies samengevoegd tot die van inspecteur-generaal der Krijgsmacht (IGK). Zijn hoofdkwartier was gevestigd in een in Engelse stijl opgetrokken landhuis op het landgoed De Zwaluwenberg bij Hilversum. Het is hier dat we de prins op deze foto aantreffen, volslagen in zijn element als man van aanzien binnen de krijgsmacht. De prins moest in 1976 na de Lockheed-affaire tot zijn grote spijt het IGK-schap opgeven.

INHULDIGING JULIANA

Een militaire erewacht staat aangetreden op de Dam ter gelegenheid van de inhuldiging van koningin Juliana. Het detachement op de voorgrond is afkomstig van het Garderegiment Fuseliers Prinses Irene. Ook de twee andere garderegimenten van de landmacht, te weten de Grenadiers en de Jagers, zijn in de erewacht vertegenwoordigd. Deze status van garderegiment was overigens een nieuw verschijnsel binnen de KL. De drie genoemde regimenten hadden deze bijzondere aanduiding op 1 juni 1948 gekregen. Ook gloednieuw waren de ceremoniële tenues die de militairen van de garderegimenten droegen. Deze kleding was een geschenk van het Nederlandse volk, bedoeld om de troonswisseling extra cachet te geven.

CEREMONIËLE TENUES

E en kleurrijk tafereel op het Binnenhof, zij het hier in zwart-wit. Er doen zich jaarlijks diverse gelegenheden voor waarbij de garderegimenten acte de présence geven in hun ceremoniële tenues. Eén zo'n moment is Prinsjesdag, de dag van de feestelijke opening van een nieuwe zitting van de Staten-Generaal. Op de foto, genomen op Prinsjesdag 1949, zien we twee officieren in het ceremonieel tenue van de Grenadiers, dat is gebaseerd op het uniform uit 1829. De jas is donkerblauw en voorzien van versierde knoopsgaten, de zogenoemde gardelissen. De broek is nassaublauw en gebiesd. Kenmerkend is de berenmuts. Dit hoofddeksel stamt naar verluidt af van de vroegere – met bont afgezette – slaapmutsen.

UITREIKING GROENE BARET

Ook een uitgesproken manhaftige eenheid als het Korps Commandotroepen (KCT) kent haar tradities en ceremonieel. Het bekendste gebruik van het KCT is de uitreiking van de groene baret. Na de 'afmatting', die hun zware opleiding afsluit, stellen de kersverse commando's zich op en mogen ze vervolgens de mutsdas afdoen en de exclusief aan het korps voorbehouden groene baret opzetten. De eerste baretuitreiking in 1950 geschiedde op de Markt in Roosendaal, voor het oog van de plaatselijke bevolking. Later zou deze locatie worden verruild voor de eigen Engelbrecht van Nassaukazerne, die aan de rand van Roosendaal ligt. De plechtigheid voltrekt zich daar in aanwezigheid van familie en vrienden.

VAANDELUITREIKINGEN INFANTERIE

E en vaandel is niet zomaar een militaire vlag: het vertegenwoordigt de trots en traditie van een militaire eenheid. De oranje kleur staat symbool voor de nauwe band met het koningshuis. Voor de omgang met het vaandel, dat het middelpunt is van tal van ceremoniële handelingen, bestaat een uitgebreid protocol. De uitreiking van een nieuw vaandel aan een korps of regiment is een plechtige gebeurtenis. Op 8 oktober 1951 namen koningin Juliana en prins Bernhard een drievoudige vaandeluitreiking voor hun rekening, en wel aan het Regiment Limburgse Jagers, het Regiment Infanterie Oranje Gelderland en het Regiment Infanterie Johan Willem Friso. Op de foto nemen de Limburgse Jagers hun vaandel in ontvangst.

VAANDELUITREIKING CHASSÉ

Zo te zien is vaandeldrager adjudant-onderofficier J. Spuy van het Regiment Infanterie Chassé zich terdege bewust van zijn gewichtige taak. Zojuist heeft koningin Juliana dit vaandel op de Generaal De Bonskazerne te Grave uitgereikt. Het is voorzien van de opschriften 'Quatre-Bras en Waterloo 1815' en 'Citadel van Antwerpen 1832': plaatsen waar de traditievoorgangers van het regiment zich hebben onderscheiden. Het nieuwe vaandel kwam in de plaats van het oude en versleten vaandel van het voormalige 7e Regiment Infanterie, dat gelijktijdig werd ingenomen. Na de opheffing van het Regiment Infanterie Chassé in 1994 werd het vaandel in het Infanteriemuseum in Harskamp opgelegd.

PRINSJESDAG

Wanneer de ceremoniële tenues tevoorschijn moeten worden gehaald, zoals bij Prinsjesdag, komt er een grote logistieke operatie op gang. Het distributiepunt, het zogeheten Depot Ceremoniële Tenuen, was lange tijd in een van de Haagse kazernes gehuisvest. Tijdens de dagen voorafgaand aan de opening van de Staten Generaal was het daar een drukte van belang. Op de ochtend van de derde dinsdag in september waren de medewerkers van het depot volop bezig met het kleden van de militairen. Soms moest er nog snel een reparatie worden uitgevoerd of een vlekje weggewerkt. Op de foto een impressie van die laatste voorbereidingen op de Oude Frederikkazerne op Prinsjesdag 1954. De in ceremonieel tenue gestoken militairen behoren tot het Garderegiment Fuseliers Prinses Irene.

HERDENKING GRENADIERS EN JAGERS

Honderden monumenten houden de herinnering aan de Tweede Wereldoorlog levend. Een aantal daarvan dient ter nagedachtenis aan de krijgsverrichtingen van een specifieke eenheid en haar gesneuvelde militairen. Zo kent Den Haag sinds oktober 1951 een monument voor het Regiment Grenadiers en Jagers. Dit gedenkteken van de beeldhouwer Dirk Bus stond aanvankelijk aan de Hofweg, maar in 1964 verhuisde het naar de Johan de Wittlaan. In 2010 werd het opnieuw verplaatst, ditmaal naar het voormalige vliegveld Ypenburg; een zeer toepasselijke plek, aangezien het regiment hier in mei 1940 fel strijd leverde. Nog steeds wordt bij het monument rond 10 mei de slag om de Residentie herdacht.

PRINSJESDAG

Op Prinsjesdag vormen militairen traditiegetrouw een afzetting langs de route die de Gouden Koets aflegt. Deze militairen zijn niet gekleed in een ceremonieel tenue, maar zij dragen hun gewone uniform. Dat geldt ook voor de soldaten op de foto, zij het dat het bij hen gaat om een combinatie – typisch voor het midden van de jaren vijftig – van de Britse battledress en de Amerikaanse binnenhelm M1. Een groepje jongens heeft, in afwachting van de komst van Hare Majesteit, grote belangstelling voor een van deze stoere landsverdedigers. Wellicht gaat de jeugdige interesse vooral uit naar zijn wapen: de Amerikaanse Garand M1.

ONTHULLING MONUMENT

'Met een gracieus gebaar, dat de harten van de honderden toeschouwers vertederde, trok donderdagmiddag, de 27e October, H.K.H. Prinses Irene het doek weg van het monument, opgericht ter herinnering aan de vele daden van moed, beleid en trouw, bedreven in de jaren '44 en '45 door de voormalige Kon. Ned. Brigade "Prinses Irene", gedurende haar veldtocht in Frankrijk, België en Nederland'. Zo begon de *Legerkoerier* zijn verslag van de onthulling van het monument van de Irenebrigade in Tilburg. Dit kunstwerk van de hand van de beeldhouwer E.L.W.R. baron Speyart van Woerden is geen realistische weergave. In de Tweede Wereldoorlog trok men immers niet meer daadwerkelijk met het vaandel ten strijde.

TAPTOE DELFT

Vrouwelijke militairen zijn een relatief modern fenomeen. Pas tijdens de Tweede Wereldoorlog, en aanvankelijk nog schoorvoetend, maakten zij hun opwachting. Een veel oudere functie die vrouwen binnen het leger vervulden, was die van marketentster of zoetelaarster, die de soldaat tijdens oefeningen of veldtochten van verversingen voorzag. Tegenwoordig spelen deze dames, die aan hun vaatje brandewijn of jenever te herkennen zijn, alleen nog een rol in de militaire traditie. Zo waren zij onder meer present tijdens de Taptoe Delft van 1959. Onder de uitdossing van deze historische personages gingen overigens twee sergeants van de Militaire Vrouwenafdeling (MILVA) schuil.

• FOTO: LFFD

TROMPETTERKORPS CAVALERIE

Na de Tweede Wereldoorlog verzorgden de militaire muziekkorpsen veel vaker dan voorheen publieke optredens voor de burgerij. Met die representatieve taak dienden zij een bijdrage te leveren aan de verbetering van de relatie tussen maatschappij en krijgsmacht. Door deze verplichting kwam hun originele taak, het spelen voor de troepen, in het gedrang. Om ook in die behoefte te kunnen blijven voorzien, kwam het tot de oprichting van fanfare- en trompetterkorpsen, die behoudens een kleine staf van beroepsmusici volledig uit dienstplichtigen bestonden. Het hier afgebeelde Trompetterkorps der Cavalerie viert op 4 maart 1961 op de Bernhardkazerne in Amersfoort zijn vijftienjarig jubileum met onder meer een reünie van oud-muzikanten bij het korps.

TAPTOE DELFT

Van 1954 tot en met 1974 vormde de Markt in Delft het toneel van de jaarlijkse Taptoe, waarbij lichtinstallaties en tribunes het plein tot een openluchttheater omtoverden. Doorgaans verliep dit goed geregisseerde festijn rimpelloos, maar niet in 1961, want toen deed zich een heuse 'taptoerel' voor. De Luchtmachtkapel speelde buiten het programma om het stuk *When the saints come marching in*. Het orkest doorbrak daarmee de regel dat het repertoire niet te 'modern' mocht zijn. De ambitieuze kapelmeester van de Luchtmachtkapel, kapitein H.F.W. van Diepenbeek, kreeg het daardoor aan de stok met de behoudende majoor R. van Yperen, die de Taptoe in 1954 had geïnitieerd en nog altijd een prominente rol in de organisatie speelde.

• FOTO: LFFD

FELICITATIE MARIJKE

'**G**eschenken voor jarige Prinses Marijke' kopte de *Legerkoerier* in maart 1962. Zoals gebruikelijk komt een delegatie van de verbindingsdienst op paleis Soestdijk op de thee, om de prinses, het petekind van hun wapen, met haar vijftiende verjaardag te feliciteren. In voorgaande jaren had de verbindingsdienst de prinses onder meer een tent en - heel toepasselijk - een draagbare radio cadeau gedaan. Deze keer was de keus gevallen op twee er nogal wankel uitziende rotan stoeltjes en een bijpassende plantenhouder. Op de foto zitten de prinses en haar moeder, koningin Juliana, proef op het zojuist ontvangen meubilair. Nadat de prinses achttien was geworden, kwam er een einde aan deze bezoeken.

VAANDELS, TAPTOES EN MEDAILLES: CEREMONIEEL   • FOTO: H. MONTIJN (LFFD)

Met het overlijden van prinses Wilhelmina op 28 november 1962 was het Nederlandse volk voor het eerst sinds lange tijd getuige van een koninklijke uitvaart. De krijgsmacht had bij deze gebeurtenis een belangrijke ceremoniële taak. De witte rouwkoets werd begeleid door een uitgebreid militair escorte, terwijl langs de route van het paleis Lange Voorhout in Den Haag naar de Nieuwe Kerk in Delft circa negenduizend militairen een erewacht vormden. De kou van die dag zorgde er voor dat een aantal van hen niet op de been bleef. Saluutbatterijen op het Malieveld en Vliegbasis Ypenburg gaven elke minuut een schot af. Twee militaire muziekkorpsen brachten, naar de wens van de overleden vorstin, religieuze muziekstukken ten gehore.

• FOTO: H. MONTIJN (LFFD

BRONZEN LEEUW

Soldaat der eerste klasse J. Bood, de wat moeilijk kijkende jongeman op de foto, beleefde bepaald geen doorsnee diensttijd. Tijdens zijn uitzending naar Nieuw-Guinea raakte deze dienstplichtig militair tijdens een vuurgevecht met Indonesische infiltranten ernstig gewond, maar desondanks hield hij het hoofd koel en slaagde hij erin zijn belagers met mitrailleurvuur te verdrijven. Terug in Nederland speldde de bevelhebber der Landstrijdkrachten, luitenant-generaal A.V. van den Wall Bake, hem daarvoor de Bronzen Leeuw op, de op een na hoogste dapperheidsonderscheiding die Nederland kent. Het is dan ook geen wonder dat deze koene dienstplichtige op de belangstelling van een forse schare verpleegsters kan rekenen.

UITVAART LA COURTINE

E en overlijden in het Franse La Courtine. In een met de Nederlandse vlag bedekte kist wordt het stoffelijk overschot van dienstplichtig sergeant H.W. Nijkamp door zijn collega's naar een gereedstaande lijkauto gedragen voor de reis terug naar Nederland. Nijkamp kwam op 14 juli 1963 op 23-jarige leeftijd om het leven. Op de voorgrond bewijzen enkele Franse militairen hem de laatste eer. De begrafenis van in het buitenland omgekomen militairen vond in de regel in eigen land plaats.

KEES DE BOK

Bij een aantal militaire eenheden is een mascotte onderdeel van de traditie. De bekendste binnen de landmacht is Kees de Bok. Eind 1944 ging een patrouille Stoters in dekking omdat zij meende dat er Duitsers naderden. Het bleek een geitenbok te zijn. De militairen namen hem mee en sindsdien zijn Kees de Bok en zijn opvolgers de mascotte van de Stoottroepen. Kees I ging zelfs mee naar Indië. Tot Kees' taken behoren het (gedeeltelijk) meelopen met de Vierdaagse, het deelnemen aan defilés en het opluisteren van ceremoniële gebeurtenissen. Kees VII, in dienst sinds 1993, is hoogbejaard. Naar een opvolger wordt gezocht. Op de foto het plechtige moment waarop Kees II met pensioen gaat. Kees de Bok III staat reeds aangetreden.

PRINSJESDAG

Het Tamboerkorps van het Garderegiment Fuseliers Prinses Irene laat van zich horen tijdens Prinsjesdag 1964. Het korps werd in 1948 opgericht, als voortzetting van het in 1941 in Engeland gevormde muziekkorps van de Koninklijke Nederlandse Brigade 'Prinses Irene'. Met hun rode uniformen, die zijn geïnspireerd op de uniformen van de Britse linie-infanterie, geven de fuseliers Prinsjesdag en andere ceremoniële gebeurtenissen kleur. In de loop der jaren zijn vanwege bezuinigingen veel militaire muziekkorpsen verdwenen. Het tamboerkorps van de fuseliers werd in 1991 ontbonden, waarna de traditie werd voortgezet door de Koninklijke Militaire Kapel (KMK).

• FOTO: H. MONTIJN (LFFD)

WAPENSCHOUW

O p Bevrijdingsdag 1965 vond op de betonbaan van het cavalerieoefenterrein de Vlasakkers de grootste naoorlogse parade van de strijdkrachten plaats. Hoewel het naar schatting 250.000-koppige publiek een paar fikse regenbuien op de koop toe moest nemen, werd het ongerief beloond met veel welhaast on-Nederlands militair vertoon. In het defilé waren alle drie de krijgsmachtdelen vertegenwoordigd, terwijl in aanvulling daarop een keur aan rijdend materieel werd getoond en de luchtmacht het evenement met een *fly past* opluisterde. Onder de genodigden waren het koninklijk paar, prinses Beatrix, minister-president mr. J.M.L.Th. Cals en minister van Defensie P.J.S. de Jong, die het spektakel vanaf een opvallend podium met baldakijn konden volgen. Op de foto trekken de Centuriontanks van 11 Tankbataljon langs.

AUBADE RIDDER MWO

Bij een Ridder Militaire Willems-Orde (MWO) dringt zich onwillekeurig het beeld op van een klassieke houwdegen: het tegendeel van deze vriendelijk kijkende bejaarde man op de foto. Toch is de heer M. Cohen een heuse Ridder MWO die lang geleden als korporaal in Nederlands-Indië vocht. In 1899 redde hij in Atjeh op Sumatra zijn zwaargewonde commandant 'onder de meest gevaarvolle omstandigheden' van een wisse dood. Daarvoor werd hem een jaar later de MWO toegekend. Bij zijn 65-jarig jubileum als ridder werd hij bij zijn bejaardenflat in de Haagse wijk Moerwijk voor het oog van zijn buurtbewoners op originele wijze geëerd. Leden van het Trompetterkorps der Cavalerie tillen hem met stoel en al omhoog.

KONINKLIJK HUWELIJK

In de jaren zestig trouwden binnen een tijdspanne van enkele jaren drie van de vier Nederlandse prinsessen. Vooral het huwelijk van prinses Beatrix en Claus von Amsberg kende een grootschalige inzet van militairen. Liefst 4500 man, van wie 2000 van de landmacht, hadden een aandeel in de plechtigheden en festiviteiten. Vooral de erehaag langs het traject dat het bruidspaar en de genodigden aflegden, slokte een grote hoeveelheid mankracht op. Voor de organisatoren van het militaire aandeel aan het eerbetoon was het een grote logistieke opgave om al deze militairen in de directe omgeving van Amsterdam te huisvesten en op de dag van het huwelijk tijdig naar hun 'standplaats' te vervoeren.

HERDENKING GREBBEBERG

4 mei op de Grebbeberg. Een sergeant blaast de 'last post' tijdens de jaarlijkse herdenking van de gevallen Nederlandse militairen. Achter hem het Leeuwenmonument met daarop de tekst 'Den Vaderlant Ghetrouwe'. Dit in 1953 onthulde gedenkteken werd ontworpen door de architect ir. J.J.P. Oud en gemaakt door de kunstenaar J. Raedecker en zijn zoon. Op het Militair Ereveld liggen 799 militairen en één burger begraven. Ruim de helft van hen is bij de gevechten om de Grebbeberg gesneuveld. Behalve op 4 mei vindt er ook jaarlijks een herdenking plaats op tweede pinksterdag. Dan bewijzen de aanwezigen eer aan de doden van het 8e Regiment Infanterie, dat in mei 1940 verantwoordelijk was voor de verdediging van de Grebbeberg.

TAPTOE DELFT

Het kapsel van de gemiddelde Nederlandse soldaat was na de invoering van de vrije haardracht in 1971 legendarisch: behalve in Nederland werd alleen in Denemarken een soortgelijke maatregel genomen. De weelderige haardos van Jan Soldaat was menig beroepsmilitair een doorn in het oog. In het buitenland bezorgden de lange haren de landmacht negatieve bijnamen als 'gipsy army' of 'hippie army'. Heden ten dage bieden de foto's van de soms onmogelijke kapsels boven het uniform, vaak in combinatie met woeste baarden en snorren, vooral veel kijkplezier, al kan een enkeling zich er wellicht nog steeds boos over maken. De hier afgebeelde leden van het Trompetterkorps der Artillerie lijken zo uit een rockband weggelopen.

STAATSBEZOEK

Ook staatsbezoeken gaan standaard vergezeld van militair ceremonieel. De ontvangst van een buitenlands staatshoofd gaat vaak gepaard met een rijtoer. De afzetting van de route door middel van een erehaag van militairen is hierbij gebruikelijk. In aanvulling hierop kunnen militaire erewachten worden gepositioneerd op de plaatsen die door de hoge gast en zijn of haar delegatie worden bezocht. Op de foto is het president Ahmadou Ahidjo van Kameroen die door koningin Juliana met alle egards wordt ontvangen bij het Paleis op de Dam. De erewacht bij het paleis wordt gevormd door militairen van het Garderegiment Fuseliers Prinses Irene.

INHULDIGING BEATRIX

Een zeldzame gebeurtenis als een troonswisseling gaat ook in de moderne tijd nog met veel militair vertoon gepaard. De inhuldiging van koningin Beatrix werd met grotendeels hetzelfde militair ceremonieel opgeluisterd als die van haar grootmoeder en haar moeder. Op de Dam is, net als in 1898 en 1948, tussen het paleis en de Nieuwe Kerk een pergola opgericht, waarlangs cadetten en adelborsten een erehaag vormen. Ook zien we op de foto een detachement van het Garderegiment Jagers, die samen met andere onderdelen van de krijgsmacht deel uitmaken van de traditionele erewacht. Het strakke militaire optreden stond die dag in schril contrast met de krakersrellen en de luidruchtige demonstraties die de troonswisseling verstoorden.

SALUUTBATTERIJ GELE RIJDERS

Soms zit het mee, soms zit het tegen. Onder bepaalde weersomstandigheden zijn ceremoniële optredens geen pretje. Zo stellen zomerse temperaturen het uithoudingsvermogen van leden van een erewacht zwaar op de proef, terwijl ook extreme kou het verloop van de plechtigheden ernstig kan verstoren. En dan is er in Nederland natuurlijk altijd nog de regelmatig als stoorfactor optredende regen. Van militairen in een ceremoniële rol wordt verwacht dat het gezicht in de plooi blijft, maar het behoud van een militaire statuur in combinatie met een doorweekt pak is allesbehalve eenvoudig. Deze Gele Rijder van de saluutbatterij op het Malieveld doet een dappere poging.

NATIONALE HERDENKING

Bij het Nationaal Monument op de Dam vindt jaarlijks op 4 mei de Nationale Herdenking plaats, ter nagedachtenis aan allen, burgers en militairen, die in het Koninkrijk der Nederlanden of waar ook ter wereld zijn omgekomen sinds het uitbreken van de Tweede Wereldoorlog, in oorlogssituaties en bij vredesoperaties. De krijgsmacht heeft een groot aandeel in deze plechtigheid. Zo vormt zij een 'erecouloir' (erehaag), die vroeger uitsluitend bestond uit actief dienende militairen, zowel beroeps als dienstplichtig (zie de foto). Die laatste component viel in 1996 met de opschorting van de opkomstplicht weg. Sinds 1999 maakt een delegatie van veteranen, georganiseerd in het Veteranenplatform, ook deel uit van de couloir, waarbij de 'jonge veteranen' niet worden vergeten.

CEREMONIËLE TENUES

Dat een stilleven geen statisch beeld hoeft op te leveren, bewijst deze foto van uniformen in het Depot Ceremoniële Tenuen in de 'appendix' van het Haagse Van Alkemadecomplex, gewoonlijk de Kleine Alexanderkazerne genoemd. We zien een dolman (uniformjas) van een officier van het Korps Rijdende Artillerie. Tot de sloop van de gebouwen op dit terrein in 2001 werden hier de ceremoniële tenues bewaard en uitgereikt. Later vond het depot onderdak op een bedrijventerrein in Rijswijk. Sinds oktober 2009 is het ondergebracht op Kamp Soesterberg. De opgewonden drukte rond Prinsjesdag blijft de Haagse kazernes hierdoor in de toekomst deels bespaard.

TAPTOE BREDA

In 1975 deed de Delftse gemeenteraad de taptoe in de ban, omdat dit muziek-festijn het militarisme zou verheerlijken. Daarom ging met ingang van 1976 Breda de huisvesting van het jaarlijkse evenement verzorgen. Aanvankelijk vormde de Koninklijke Militaire Academie het toneel van de Taptoe Breda, maar in 1990 verhuisde het evenement naar de Chassékazerne en met ingang van 1996 was de Trip van Zoutlandtkazerne de plaats van handeling. Na een eenjarig intermezzo in Den Bosch dienen de liefhebbers sinds 2006 naar Ahoy in Rotterdam af te reizen. In 1993 bood de Taptoe Breda onder meer een spectaculaire choreografie, die op het gevecht bij Quatre Bras (1815) was geïnspireerd.

WACHTLOPEN EN AARDAPPELJASSEN: SOLDATENLEVEN

VERZORGING TE VELDE

In 1898 kwam de persoonlijke dienstplicht tot stand. Vanaf dat moment was het gedaan met het remplaçantenstelsel, waarbij welgestelde burgers iemand anders inhuurden om voor hen de militaire dienst te vervullen. Mede omdat nu ook 'rijkeluiszonen' hun opwachting bij de kazerne moesten maken, nam rond de eeuwwisseling de aandacht voor de legering en verzorging van de miliciens sterk toe. Zo hoefden de dienstplichtigen niet langer hun eigen potje te koken, maar werden de maaltijden voortaan driemaal daags van rijkswege verstrekt. Een gevolg van deze verbeteringen was dat de rol van bijvoorbeeld marketentsters en wasvrouwen uitgespeeld raakte. De dame op de foto behoorde tot de laatste der Mohikanen.

VOEDSELVOORZIENING

Hoewel de militaire leefomstandigheden er in de 20e eeuw door onder meer de bouw van nieuwe kazernes flink op vooruitgingen, bleef het soldatenbestaan tamelijk eentonig. De dagelijkse sleur, bestaande uit tal van routinematige werkzaamheden en veel corveediensten, bood de individuele militair nauwelijks kansen zich te ontplooien. Tot het vaste stramien behoorde onder meer het aardappels schillen, dat bij toerbeurt in ploegen werd verricht. Huiselijke tafereeltjes van piepers jassende soldaten waren een geliefd motief voor uitgevers van prentbriefkaarten. Dit ingekleurde exemplaar van Gele Rijders – met hun karakteristieke kwartiermutsen – in de Arnhemse Willemskazerne verscheen in de bekende reeks van uitgever Jos. Nuss.

Piepers jassen.

LEEFOMSTANDIGHEDEN

In Utrecht werden aan het einde van de 19e eeuw liefst drie nieuwe kazernes gebouwd: de Van Sypesteyn-, de Knoop- en de Hojelkazerne. Deze namen werden overigens pas later, in de jaren dertig, toegekend. Vooral de 'Hojel' beschikte over een aantal voor die tijd moderne voorzieningen: er waren sportzalen en een aantal kantines. Officieren, onderofficieren en manschappen aten en verpoosden gescheiden: voor elke groep waren er afzonderlijke ruimtes; een beginsel dat bijna de gehele 20e eeuw gehandhaafd bleef. De zogeheten *all ranks*-eetzalen braken pas na 1990 door. De foto biedt een inkijkje in de goed geoutilleerde manschappenkantine van de Hojelkazerne, waar een deel van de vestingartillerie was gehuisvest.

Manschappencantine

GEESTELIJKE VERZORGING

Ds. S.K. Bakker, majoor-veldprediker bij de 2e Divisie, spreekt een groep cavaleristen toe tijdens een oefening in Sint-Oedenrode. De geestelijke verzorging (GV) bij het leger kwam pas tijdens de Eerste Wereldoorlog goed van de grond, omdat daaraan onder de gemobiliseerde militairen een grote behoefte bestond. Op 28 augustus 1914 benoemde koningin Wilhelmina vier aalmoezeniers en acht veldpredikers. Deze aantallen werden vervolgens geleidelijk uitgebreid. Hoewel er aanvankelijk beperkte politieke steun was voor het in stand houden van de GV in vredestijd, waren de geestelijk verzorgers al snel niet meer uit het militaire leven weg te denken. Ook vandaag de dag nog beschikt de krijgsmacht over aalmoezeniers, predikanten, rabbijnen, imams, pandits, en humanistische GV'ers.

LEEFOMSTANDIGHEDEN

E en comfortabel leven had je niet als dienstplichtig militair. De kazernes die sinds het einde van de 19e eeuw waren gebouwd, waren door hun nieuwe, langgerekte bouwwijze dan wel van betere kwaliteit dan hun benauwde voorgangers, maar als soldaat sliep je nog steeds met een groot aantal dienstmaten op een slaapzaal in stalen kribben. Als matras diende een strozak, die eenmaal per jaar met vers stro werd gevuld en na een halfjaar werd bijgevuld. Op de foto is het nieuwe stro zojuist op de binnenplaats van de Utrechtse vestingartilleriekazerne (de latere Hojelkazerne) afgeleverd. Het gewicht van de balen wordt gecontroleerd, waarna de soldaten hun strozak kunnen vullen.

ONTSPANNING

Tijdens de mobilisatie was de verveling onder de militairen groot. Daarom werden er op last van de legerleiding initiatieven ontplooid om de militairen ontspanning te bieden, maar die deden zelf ook hun best om de sfeer er een beetje in te houden. Eerste-luitenant F.W.M.H. van Rijckevorsel van de 4e Compagnie van het IIe Bataljon van het 17e Regiment Infanterie schreef ter verpozing van zijn kameraden de klucht *De tocht naar Nova-Zembla*, die hij ook regisseerde. Tweede-luitenant J. Denijs leefde zich uit op het decor. We geloven stellig dat acteurs en publiek veel plezier aan de inspanningen van de beide luitenants hebben gehad.

LICHAMELIJKE OEFENING

Nadat reeds in de 19e eeuw gymnastiekonderwijs in het leger was inge-voerd, werd in 1916 het Militair Vaardigheidsdiploma ingesteld. Om voor dit diploma in aanmerking te komen, diende de militair een minimale graad van fysieke geoefendheid te bezitten, die tot uitdrukking moest komen in het met goed gevolg afleggen van een test. De groeiende belangstelling voor sport en gymnastiek kwam mede voort uit het besef dat lichamelijke oefening niet alleen de fysieke conditie, maar ook het moreel en de teamgeest bevordert. Op deze fraaie actiefoto oefenen gemobiliseerde militairen op een sportterrein bij Kat-wijk aan Zee voor hun diploma.

• FOTOGRAAF ONBEKEND

BREDA 1921

De bekendste weg naar het officiersschap liep via het Kasteel van Breda, waar de Koninklijke Militaire Academie (KMA) was gevestigd. Cadetten aan de KMA ontvingen een gedegen opleiding in krijgskundige en algemeen vormende vakken, terwijl ook de lichamelijke oefening veel aandacht kreeg. Het schermen, vanouds een typische officiersbezigheid, stond aan de KMA hoog in het vaandel, maar ook modernere sporten als roeien, voetbal en hockey werden er fanatiek bedreven. Op de foto zien we het botenhuis en de steiger van de cadettenroeiploeg, die omstreeks 1920 een aantal nationale successen behaalde. De drijvende kracht achter deze prestaties was kapitein Abraham Dudok van Heel, naar wie de roeivereniging in 1934 werd vernoemd.

• FOTOGRAAF ONBEKEND

ALCOHOLGEBRUIK

SOESTERBERG, 1929

Luchtdoelartilleristen in opleiding tijdens een vrolijk moment in het Kamp van Zeist. Zij poseren hier met lege flessen, waarmee zij leken te bevestigen - ongetwijfeld tegen hun bedoeling in - dat overmatig drankgebruik in het leger jarenlang een groot probleem is geweest. Feestdagen heetten onder militairen niet voor niets 'jeneverdagen'. Van hogerhand werden reeds in de eerste helft van de 19e eeuw pogingen gedaan dit euvel te bestrijden, maar de verlokkingen van de jeneverkruik en de bierfles bleven nog lange tijd bijzonder groot. Mede als gevolg van de grote alcoholconsumptie stond het militaire leven in de 19e eeuw slecht aangeschreven; een kwalijke reputatie die in de 20e eeuw maar moeizaam sleet.

LICHAMELIJKE OEFENING

Gymnastiek en sport kregen na 1900 binnen het leger meer aandacht dan voorheen, omdat in militaire kring steeds beter werd beseft dat een soldaat, wilde hij zich op het gevechtsveld staande kunnen houden, zowel in fysiek als in mentaal opzicht in hoge mate weerbaar moest zijn. Niet alleen voor de cadetten van de Koninklijke Militaire Academie, zoals de foto laat zien, maar ook voor de gewone dienstplichtigen werd lichamelijke oefening vrijwel dagelijkse kost. Toch viel tijdens de schrale jaren van het interbellum (1918-1940) ook dit onderdeel van het militaire leerplan, hoe belangrijk het ook werd geacht, geregeld aan bezuinigingen ten prooi.

• FOTO: EDWARD JACOBS

BEPAKKING

PLAATS ONBEKEND, CIRCA 1930

Als soldaat sjouwde je soms wat af. Niet alleen de infanteristen trokken als ware pakezels te velde, ook de militairen van de andere wapens en dienstvakken droegen van alles bij zich. Wie enige technische aanleg had, liep in het interbellum grote kans 'voor z'n nummer' bij de verbindingstroepen terecht te komen, zoals de mannen op de foto (zie de kabelhaspel op de rug van de meest linkse militair). Bij een oefening hing je dan in de prijzen: er moest flink worden geklauterd bij het leggen van de lijnverbindingen, terwijl er zware apparatuur moest worden meegezeuld. Op de foto zien we nog relatief licht materieel: meestal was er een kar of op zijn minst een fiets nodig om de spullen te vervoeren.

LEEFOMSTANDIGHEDEN

Een blik in een manschappenkamer in de (Oude) Alexanderkazerne aan de Laan Copes van Cattenburgh (nu: Burgemeester Patijnlaan) omstreeks 1931. De foto geeft een aardig beeld van de toenmalige leefomstandigheden van de soldaten. Aparte eetzalen waren nog geen gemeengoed: de soldaten aten gewoon tussen de bedden. De uitrusting en persoonlijke bezittingen vonden een plaatsje in en op de kastjes boven de bedden. Eventueel mocht er onder het bed ook nog wat staan, mits dat in een net, zwart geschilderd (groen bij de Jagers) kistje zat. Dat de legering krap bemeten was, wordt in één oogopslag duidelijk, maar de fotograaf is er toch in geslaagd met behulp van het invallende licht op zijn minst een indruk van sfeer te creëren.

• FOTO: EDWARD JACOBS

341

SOLDIJ

Klinkende munt op de binnenplaats van de kazerne aan de Middelburgse Zuidsingel. Aan het einde van de week melden de soldaten zich voor het in ontvangst nemen van hun soldij. De compagniesadministrateur zit achter de tafel en roept de in gelid staande militairen beurtelings naar voren. Het door 'minderen' (militairen beneden de rang van onderofficier) te incasseren bedrag was – ook in het licht van het toenmalige prijsniveau – niet erg groot. Een soldaat ontving volgens het *Handboek voor den soldaat* uit 1937 zeventien cent per dag, een korporaal dertig cent. Onderofficieren beurden daarentegen een beduidend hoger inkomen.

AFSTANDSMARSEN

Lang marcheren is in de volksmond bijna synoniem met het militaire leven. Dit beeld dateert uit de tijd dat het leger nog vrijwel niet gemotoriseerd was en grote aantallen militairen zich geregeld te voet moesten verplaatsen. Niettemin is de stevige mars nog steeds onderdeel van de militaire praktijk, hetzij als oefening, hetzij als sportieve prestatie. De aanvankelijk vooral voor militairen georganiseerde Vierdaagse van Nijmegen trekt elk jaar nog steeds veel militaire deelnemers uit binnen- en buitenland. Op de luchtfoto - een van de vele die de NIMH-collectie rijk is - uit 1938 ontwaren we een klein aantal deelnemers aan dit wandelevenement. Een militair detachement neemt, als hechte en geordende groep, juist de S-bocht.

LEEFOMSTANDIGHEDEN

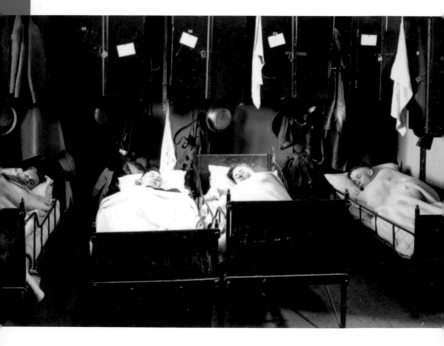

UTRECHT, CIRCA 1939

Militairen in de slaaphouding. In de periode 1910-1940 werden de meeste kazernes volgens de paviljoenstijl gebouwd. Dit kazernetype, waarbij er in aparte gebouwen werd geslapen, gegeten en gewerkt, was veel ruimer van opzet dan de compacte bouwwijze uit vroeger dagen. Op zich was dit een stap vooruit, maar deze foto van een legeringskamer op de volgens de paviljoenstijl gebouwde Kromhoutkazerne laat zien dat de manschappen nog altijd dicht op elkaar lagen. Als er één soldaat nieste, was het hele peloton verkouden. Tot aan de Tweede Wereldoorlog waren ook de oude stalen 'nachtlegers' met de bijbehorende kastjes nog gemeengoed.

VOEDSELVOORZIENING

De warme maaltijd was voor de soldaat een van de hoogtepunten van de dag. Vaak werd er op de kwaliteit van het eten gemopperd, maar de kok was meestal toch een geliefde collega, zeker als die in staat was om ook te velde een smakelijke hap te bereiden. Op de foto zien we een keukenwagen die toebehoorde aan het 18e Regiment Infanterie. Dit type, dat kort vóór de Eerste Wereldoorlog was ingevoerd, werd nog met paardenkracht voortbewogen. De landmacht beschikte in 1939-1940 echter ook al over gemotoriseerde keukenwagens, die bij snelle troepenverplaatsingen niet te ver achterop raakten. Volgens de overlevering deelden de koks de restanten van de maaltijd uit onder de armen; een soort voedselbank *avant la lettre*.

VELDPOST

Voor de meeste gemobiliseerde militairen en hun thuisfront was de over en weer verstuurde post het belangrijkste communicatiemiddel. De grote brieven- en kaartenstroom legde een zwaar beslag op de militaire veldpost. Bij de militaire postkantoren waren in de mobilisatie 1939-1940 dan ook maar liefst vierhonderd man werkzaam. Veel uitgevers en drukkers speelden slim in op de explosief toegenomen vraag naar prentbriefkaarten door omvangrijke mobilisatiereeksen op de markt te brengen. De aan het leven in de mobilisatietijd gerelateerde afbeeldingen op de kaarten gingen vaak vergezeld van humoristisch bedoelde rijmpjes. Oubollig of niet, thans zijn onder veel verzamelaars juist deze reeksen favoriet.

GEESTELIJKE VERZORGING

PLAATS ONBEKEND, 1940

Onder invloed van de oorlogsdreiging nam in de mobilisatietijd het belang van de geestelijke verzorging weer toe. Dit resulteerde in het aantrekken van tientallen (protestantse) reserveveldpredikers en een vergelijkbaar aantal (katholieke) hulpaalmoezeniers. Omdat het bij een rooms-katholieke eredienst te velde niet altijd mogelijk was zich te houden aan de door het kerkelijk gezag vastgestelde regels betreffende de liturgie en de sacramentsbediening, verleenden de Nederlandse bisschoppen begin 1940 op een aantal punten dispensatie. Daardoor werd het onder meer mogelijk in de open lucht een mis te celebreren.

ONTSPANNING

Na de traumatische nederlaag in mei 1940 en vijf jaar Duitse bezetting waren de Nederlandse militairen die vanaf eind 1944 een bijdrage aan de bevrijding van Nederland hadden geleverd welkome verloren zonen op vaderlandse bodem. De helden van de Irenebrigade werden op 31 mei 1945, een aantal weken na de Duitse capitulatie, feestelijk in Amsterdam onthaald. Na een parade door de stad was er een bevrijdingsbal met big band in de Apollohal in Amsterdam-Zuid. Op de overvolle dansvloer ook dit knappe koppeltje. Lang kon er niet van de vrijheid worden genoten: veel militairen werden later dat jaar naar Nederlands-Indië gestuurd.

MILITAIR GEZAG

Van september 1944 tot maart 1946 was in Nederland het Militair Gezag (MG) actief. Deze instantie, die in 1943 in Londen was opgericht, vervulde in bevrijd gebied vele bestuurlijke taken op het terrein van de ordehandhaving en de wederopbouw. Ondanks de drukke werkzaamheden en de talrijke urgente problemen, viel er blijkbaar ook weleens wat te lachen. Een tafereeltje als op deze foto lijkt overigens wel het vooroordeel te bevestigen dat de heren van het MG doorgaans goed voor zichzelf wisten te zorgen en vooral zeer bedreven waren in het vorderen van auto's - zie het luxe exemplaar op de achtergrond - en andere kostbare en schaarse goederen. Naar kinderwagens ging hun belangstelling normaliter niet uit.

OP WACHT

Een soldaat op wacht aan de poort van de (Nieuwe) Alexanderkazerne aan de Van Alkemadelaan in Den Haag. De bajonet op zijn geweer maakt dit militaire plaatje extra stoer. Getuige het mouwembleem was hij ingedeeld bij de troepen van de Territoriaal Bevelhebber Nederland. De foto is er een uit een omvangrijke serie, vervaardigd ten behoeve van de grote Legertentoonstelling die in de zomer van 1948 werd gehouden (zie pag. 140). Hiervoor maakten de (veelal dienstplichtige) fotografen van de Leger Film- en Fotodienst honderden opnamen van het dagelijkse militaire leven. Deze waardevolle collectie biedt ons een fraai beeld van de Koninklijke Landmacht uit de periode van de naoorlogse wederopbouw.

KLEDING

De uniformen van de landmacht tijdens en kort na de oorlog waren geënt op die van het Britse leger. De Nederlandse stof, die van dit voorbeeld afweek, had als nadeel dat zij niet bepaald soepel viel en nogal kriebelde. Met de stevigheid en de duurzaamheid was het wel dik in orde; niettemin moest er aan de kleding soms wel het een en ander worden hersteld. De soldaat die handig was met naald en draad was dan in het voordeel. Deze foto, die eveneens tot de onvolprezen serie voor de Legertentoonstelling van 1948 behoort, laat zien dat uitgerekend in het 'stoere' leger mannen klussen moesten doen die zeker naar het oordeel van die tijd als typisch vrouwelijke arbeid werden aangemerkt.

MEDISCHE VERZORGING

VERMOEDELIJK DEN HAAG, 1948

Na de oorlog ging bij de landmacht de gebitszorg er flink op vooruit. Een mijlpaal was de oprichting van de Militair Tandheelkundige Dienst in 1948. Op veel kazernes kwam nu een tandarts te werken, terwijl in Nederlands-Indië in de periode 1946-1950 de verspreid gelegerde eenheden door mobiele tandarts-posten werden bezocht. Dat was geen overbodige luxe: de gebitszorg stond des-tijds op een relatief laag niveau en de bezettingstijd had de conditie van de tanden en kiezen in Nederland ook al geen goed gedaan. De militaire tandarts op de foto uit 1948 zal heel wat werk hebben gehad aan het saneren van de 'oor-logsbekkies' die hij onder handen kreeg.

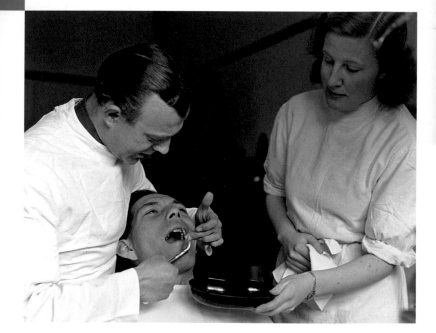

MEDISCHE VERZORGING

DOORN, 18 MAART 1949

De grootschalige inzet in Nederlands-Indië in de tweede helft van de jaren veertig had een grote impact op de landmacht. In het leven van veel uitge-zonden militairen liet de daar gevoerde strijd diepe sporen na. Een deel van de Indiëgangers raakte gewond of kreeg psychische problemen. Ten behoeve van beide categorieën slachtoffers werden instellingen opgericht: het Militair Revali-datiecentrum 'Aardenburg' in Doorn en het Militair Neurosehospitaal in Auster-litz. Om het lichaam weer sterk en de spieren soepel te krijgen, werden de militairen op Aardenburg zo snel mogelijk in werkplaatsen, in de moestuin of, zoals de foto laat zien, in de kas aan het werk gezet. Er heerste op Aardenburg, zo schreef de *Legerkoerier* in 1951, 'een geest van gezond optimisme'.

OP HERHALING

Was de 'eerste opkomst' eenmaal achter de rug, dan kon je nog voor herhalingsoefeningen worden opgeroepen. In de eerste helft van de jaren vijftig, met de Koude Oorlog op zijn ijzigst, waren deze oefeningen fors van opzet.
Zo moesten de reservisten van de mobilisabele 3 Divisie in 1953 opkomen voor
de oefening *Drietand*. Een jaar later, in november, waren circa 11.000 militairen
van deze divisie opnieuw de klos, ditmaal voor een oefening in het West-Duitse
Sennelager. Op de foto, genomen op het Station Staatsspoor, neemt een aantal
van deze 'herhalers' afscheid van familie en geliefden. Zo'n herhalingsoefening,
die oude dienstmaten weer voor even bij elkaar bracht, was een kostbaar avontuur en werkgevers waren niet blij dat zij hun personeel tijdelijk aan het leger
moesten afstaan.

DE EETZAAL

Bij zijn afscheid als inspecteur der Luchtdoelartillerie op 1 november 1955 kreeg luitenant-generaal G.J.M.C. van Nijnatten namens het Depot Lucht-doelartillerie in Ossendrecht een fraai fotoalbum aangeboden. In militaire kringen - en niet alleen daar - waren zulke fotoalbums een gangbaar afscheids cadeau. De foto's werden in dit geval echter niet zoals gebruikelijk vervaardigd door de Leger Film- en Fotodienst, maar door de in Ossendrecht werkzame aalmoezenier, de tandarts en een wachtmeester. Hun inspanningen leverden de scheidende generaal een album op met sfeerbeelden van het leven bij het depot (opleidingscentrum) van de luchtdoelartillerie, zoals deze impressie van een overvolle eetzaal.

PARAAT WEEKEND

Als dienstplichtige mocht je meestal in de weekends naar huis, maar er waren ook zogeheten parate weekends waarin het verlof kwam te vervallen. Tijdens een van zulke weekends proberen deze twee vrolijke fransen van de

B-Compagnie van 411 Bataljon Garderegiment Fuseliers bij hun dienstmaten de stemming er in te houden. We kunnen er bijna zeker van zijn dat dit is gelukt: de vaandrig rechts op de foto is namelijk niemand minder dan Paul van Vliet, die in zijn latere loopbaan als cabaretier met zijn creatie van majoor Kees het leger ook al zo treffend op de hak wist te nemen.

GEVECHTSRANTSOEN

Veel oud-dienstplichtigen bewaren er lauwwarme herinneringen aan: de gevechtsrantsoenen die de militair tijdens oefeningen op de been moesten houden. Opvallend is hoe uiteenlopend in de loop der jaren de kwaliteit van deze maaltijden is beoordeeld. Individuele smaakverschillen spelen daarbij ongetwijfeld een rol, terwijl het ook zo is dat de ene militair nu eenmaal wat vatbaarder was voor het door het leger warende klaagvirus dan de ander. Feit is dat deze soldaat van 43 Gevechtsgroep er tijdens oefening *Vale Ouwe* gulzig van eet. Hij toont ons daarbij terloops een minder bekende toepassing van de bajonet. Hoewel zijn naam anders doet vermoeden, had de fotograaf vermoedelijk geen connecties met het bedrijf dat bij velen bekend is van de levering van 'blikvoer' aan de krijgsmacht.

• FOTO: STRUIK (LFFD)

357

GEZAGSVERHOUDINGEN

Na 1945 maakte de Koninklijke Landmacht serieus werk van de werving van vrouwelijke militairen. Om de personele vulling van deze Militaire Vrouwenafdeling (MILVA) te bevorderen, werden geregeld wervingsbrochures uitgebracht. Voor de foto's in deze brochures was de Leger Film- en Fotodienst verantwoordelijk: het archief van de dienst bevat vele series die dit doel dienden. De hier afgedrukte foto was bestemd voor een brochure uit 1958. Afgaande op hun niet geheel ontspannen gezichtsuitdrukking lijken deze leerlingen van de Militaire Koksschool in Leiden de vrouwelijke inbreng in hun opleiding maar matig te kunnen waarderen. Of is het meer zo dat zij enigszins angstig in afwachting zijn van een oordeel over hun culinaire kunsten?

MEDISCHE VERZORGING

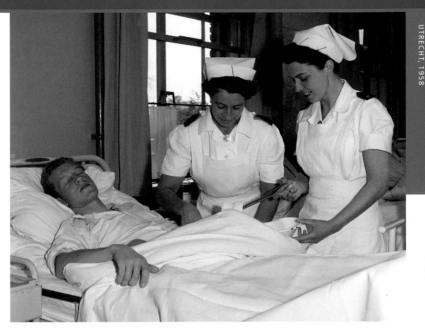

De stormbaan, het speedmarsen, het oefenen te velde, de militair-lichamelij-
ke vorming, het vele sporten: door al die fysieke inspanningen liep de militair een gerede kans een soms hardnekkige blessure op te lopen. Een verkeers-
of andersoortig dienstongeval viel helaas nooit uit te sluiten, terwijl de militair
ook 'gewoon' ziek kon worden. De zware medische gevallen kwamen terecht in
een van de militaire hospitalen, waar in de jaren vijftig een groot aantal MILVA's
werkzaam was. Bij de werving van vrouwen voor de landmacht werd daarom
nadrukkelijk de functie van verpleegster in beeld gebracht. Ook deze foto,
gemaakt in het Militair Hospitaal 'Dr. A. Mathijsen', maakt deel uit van de serie
die voor de MILVA-wervingscampagne is vervaardigd.

VELDPOST

Van 1959 tot en met 1964 oefende de landmacht op grote schaal in het Franse La Courtine, met als gevolg dat gemiddeld ruim 6000 militairen geruime tijd van huis waren. Hun afwezigheid bracht een intensief postverkeer tussen hen en het thuisfront op gang. Per etmaal leverde La Courtine circa 15.000 poststukken op, die bijna dagelijks met een Dakota vrachttoestel werden overgebracht. In het hoofdpostkantoor in de Van Sypesteynkazerne in Utrecht was het daardoor in die jaren vaak spitsuur, en dan vooral 's nachts, wanneer het merendeel van het sorteerwerk werd gedaan. Korporaal Van Westering maakte voor de *Legerkoerier* een aantal mooie platen van het nachtelijk zwoegen van de sorteerploeg.

EEN GLADDE HUID

De legerplaats in La Courtine blonk niet uit door luxueuze voorzieningen. Nog spartaanser was de situatie in het legeringskamp in Bourges, waar de troepen op weg naar hun eindbestemming een tussenstop maakten. Zelfs een waterleiding ontbrak hier; tankwagens voerden het benodigde water van elders aan. Een primitieve stroomvoorziening om de soldaten in de gelegenheid te stellen zich te scheren was er daarentegen wel. Elektrisch scheren was in die periode juist in opkomst en de primitieve sanitaire omstandigheden in Bourges zullen onder de La Courtinegangers vermoedelijk tot de populariteit van de Philishave hebben bijgedragen.

ONTSPANNING

Soldaten moeten worden vermaakt, zeker als ze ver van huis zijn. In La Courtine trad vanaf 1960, in een circustent die in het kamp werd opgebouwd, een door de Welzijnszorg ingehuurde keur van Nederlandse artiesten op, variërend van De Wama's tot Ria Valk. Ook Rita Corita, die in 1958 was doorgebroken met haar hitparadesucces *Koffie, koffie*, beklom in 1960 het podium van de tent om voor een duizendkoppig publiek haar talenten te demonstreren. Over het algemeen vielen de optredens in de smaak; een van de weinige artiesten die minder waardering oogstten was conferencier Frans Vrolijk, van wie wordt gezegd dat hij bij zijn optreden in 1962 door de soldaten werd uitgefloten.

VOEDSELVOORZIENING

In het najaar van 1961, toen de spanning in Europa als gevolg van de crisis rond Berlijn hoog opliep, vond de landmacht het niet verstandig in La Courtine te oefenen, wegens de grote afstand tussen die plaats en het mogelijke inzetgebied van het Eerste Legerkorps op de Noord-Duitse laagvlakte. Dan lag het NAVO-oefenterrein Bergen-Hohne gunstiger. De Lichte Brigade werd hier in het najaar van 1961 tijdelijk gelegerd, terwijl 43 en 13 Pantserinfanteriebrigade er anderhalve maand oefenden. Anders dan in La Courtine lagen de militairen hier aanvankelijk in bivak. Voor het keukenpersoneel was dat een extra uitdaging, maar gezien de tevreden glimlach van de korporaal in het midden van de foto, wisten de koks er wel raad mee.

• FOTO: H. MONTIJN (LFFD)

363

GARNIZOENSLEVEN

De zilverstad Schoonhoven werd in 1862 garnizoensstad door de komst van de Artillerie Instructiecompagnie, een opleiding tot beroepsonderofficier bij de artillerie. Honderd jaar later had de Havenkazerne aldaar nog steeds een militaire functie. Samen met een barakkenkamp aan de rand van de stad vormde zij de thuisbasis van het Instructiebataljon Van Heutsz (IBVH), een onderdeel van het gelijknamige infanterieregiment. Het IBVH verzorgde de opleiding van de bewakeningscompagnieën Van Heutsz. Een diensttijd in het knusse Schoonhoven was een heel andere ervaring dan een verblijf in een van de grotere legerplaatsen elders in het land. Mede doordat er geen geschikt oefenterrein in de buurt lag, had Schoonhoven, zoals veel kleinere garnizoensplaatsen, zijn langste tijd als militaire stad gehad: in 1966 was het er einde oefening.

OPKOMST

De VS had Elvis Presley, die onder het oog van de wereld zijn diensttijd vervulde. In Nederland hadden we Rudy en Riem de Wolff, beter bekend als The Blue Diamonds. Net als hun grote voorbeeld moesten ook onze nationale rock 'n roll helden onder de wapenen en ook hier leverde dat publiciteit op. De oudste van de broers, Rudy, had twee jaar uitstel van dienst gekregen, zodat de jongens gelijktijdig konden dienen, waardoor hun carrière als duo geen onnodige schade zou oplopen. Zodoende kwamen zij in april 1962 gezamenlijk op. De *Legerkoerier* publiceerde een foto van de twee tijdens hun kaderopleiding tot sergeant-radiotelegrafist, 'nu niet met gitaar, maar met Uzi's gewapend, puzzelend met de stafkaart'.

OP WACHT

Een kazerne was vanouds te herkennen aan de soldaat die de bij de toegang op wacht stond. Alle aanwezige dienstplichtigen moesten om de zoveel tijd bij toerbeurt een wachtdienst van 24 uur draaien. Je wisselde elkaar dan om het uur of om de twee uur bij de poort af. Daar staan met geweer en al was in de zomer niet zo erg, maar in de winter was het vaak geen pretje. Het was gebruikelijk dat de wacht bij het schildershuis aan de toegangspoort stond en niet, zoals op deze foto bij de Hojelkazerne, een eind daarachter. De keuze om de soldaat juist hier te positioneren heeft waarschijnlijk dan ook een compositorische achtergrond; de fotograaf wilde een mooi plaatje.

• FOTO: LFFD

Te velde willen hongerige soldatenmagen nogal eens gaan rammelen. Voor wie niet tot de volgende maaltijd kon wachten, bood de Cantinedienst (CADI) uitkomst. Waar de groene CADI-bus verscheen, vormde zich snel een rij soldaten met lekkere trek in een kop koffie of een flesje limonade en – hoe kan het anders – de onvermijdelijke gevulde koek van de firma Van Hees. Het verlengde en verhoogde Volkswagen-busje dat op de foto militairen van 42 Bataljon Limburgse Jagers bedient, is een tamelijk bijzonder exemplaar, waarvoor liefhebbers heden ten dage óók in de rij zouden staan.

MIDDENSTAND

Overal waar grote groepen militairen neerstrijken, slaan slimme onderne-mers er een slaatje uit. In La Courtine was dat niet anders. Elk jaar, wanneer de Nederlandse troepen in aantocht waren, wijzigde restauranteigenaar André Lesbats de naam van zijn niet al te best draaiende etablissement in 'In de Gebak-ken Pieper'. Vervolgens stortte hij zich op de verkoop van friet in de traditionele puntzak aan de Hollandse gasten. Die gaven hem al snel de bijnaam 'Jan Patat'. Vooral op zaterdagen, wanneer de oefenweek erop zat, liep het storm in zijn zaak. Na het definitieve vertrek van de Nederlanders uit La Courtine in 1964 was het voor Lesbats en andere middenstanders in deze legerplaats afgelopen met die jaarlijkse commerciële meevaller.

APPÈL

Naar rechts richten! Een blik op de appèlplaats van de Van Hornekazerne in Weert, waar tot op de dag van vandaag de Koninklijke Militaire School (KMS) is gehuisvest. Op de KMS worden de beroepsonderofficieren van de Koninklijke Landmacht opgeleid. De leerlingen die zich hier gereedmaken voor een van de vele appèls, zijn bewapend met het in 1964 nog gloednieuwe geweer FAL: *fusil automatique léger.* De FAL, die in België werd geproduceerd, bleef tot in de jaren negentig in de bewapening.

369

MILITAIRE TEHUIZEN

In het geordende leven van de dienstplichtige vervulden de militaire tehuizen een belangrijke rol. De maatschappij was in de jaren vijftig en zestig nog zeer verzuild. Die verdeeldheid uitte zich binnen de krijgsmacht in het bestaan van afzonderlijke militaire tehuizen van protestantse, katholieke en humanistische signatuur. In de tehuizen was plaats voor beschaafd vermaak, zoals is te zien op deze foto van het Protestants Militair Tehuis (PMT) in Nunspeet. Hoewel Nederland vanaf de jaren zeventig steeds verder ontkerkelijkte en daardoor ook steeds verder ontzuilde, bleven de militaire tehuizen een plek waar veel dienstplichtigen hun vrije uren doorbrachten. De levensbeschouwelijke signatuur van die tehuizen was daarbij niet altijd meer van groot belang.

KEURING

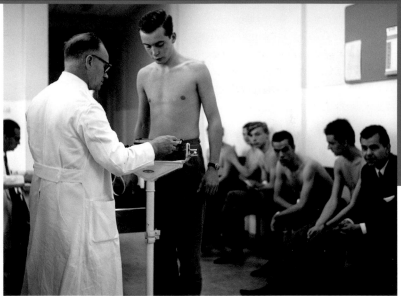

Veel jongens zagen haar met gemengde gevoelens tegemoet: de dienst-plichtkeuring. In Nederland kon de krijgsmacht doorgaans niet op veel enthousiasme vanuit de samenleving rekenen. Degene die in dienst moest, beschouwde dit offer, dat hij voor het vaderland moest brengen, vaak als een hinderlijke onderbreking van zijn maatschappelijke loopbaan. Toch kon de diensttijd ook praktische voordelen hebben, zeker voor hen die in het leger gratis hun rijbewijs wisten te halen. Altijd waren er weer jongens die probeerden met gefingeerde kwalen of zwaar aangezette lichamelijke tekortkomingen de dans te ontspringen; meestal zonder succes. Brak de diensttijd eenmaal aan, dan maakte de meerderheid er doorgaans het beste van. Velen keken en kijken er achteraf met voldoening op terug.

HAARDRACHT

De maatschappelijke vernieuwing van de jaren zestig en zeventig ging niet aan de krijgsmacht voorbij. Regels die onder de dienstplichtigen steeds meer weerstand opriepen, hadden vooral betrekking op de groetplicht en de voorgeschreven haardracht. Nadat dienstplichtig soldaat R. Wehrmann in maart 1971 had geweigerd zijn haar te laten knippen en daarvoor door de krijgsraad tot twee jaar cel was veroordeeld, was er een heuse affaire geboren die ertoe leidde

dat de minister van Defensie, W. den Toom, in juni van dat jaar besloot de militairen een vrije haardracht toe te staan. De legerleiding stribbelde nog tegen, maar dat mocht niet baten: het Nederlandse leger werd het leger van het lange haar.

RECHTSPOSITIE

Typerend voor de vermaatschappelijking van de krijgsmacht sinds de jaren zestig was de oprichting van de Vereniging Van Dienstplichtige Militairen (VVDM) in 1966. De VVDM maakte zich sterk voor allerhande zaken die de rechtspositie van de dienstplichtige militair verbeterden en zijn vrijheid vergrootten, zoals de afschaffing van de groetplicht en de verbetering van de maaltijden. De vereniging, die door de minister van Defensie al snel als volwaardige gesprekspartner werd geaccepteerd, maakte een snelle groei door: tienduizenden militairen werden lid. Op de foto demonstreren VVDM-leden op het Binnenhof tegen kabinetsvoorstellen voor een verlaging van de wedde. Let ook op de sterke dichtregels op het spandoek.

Dienstplichtigen reisden vanouds vooral met het openbaar vervoer tussen woonplaats en kazerne. Tot ver in de jaren zestig reden er zelfs speciale militaire treinen. Maar sommige legerplaatsen lagen afgelegen en een eigen auto was natuurlijk wel zo stoer. Op de meeste kazernes was een zogenoemde autohobbyclub actief, waar je zelf aan je pas aangeschafte tweedehands Ford Fiësta kon sleutelen of waar je eventueel tegen een vriendelijk tarief meer technisch onderlegde collega's het onderhoud kon laten uitvoeren. Eind jaren tachtig werd voor de dienstplichtigen het op en neer reizen met de auto echter veel minder aantrekkelijk door de invoering van de Defensiekaart Openbaar Vervoer, waarmee zij gratis met trein, tram en bus konden reizen. Wie met de auto ging, moest dat zelf betalen.

Op de kazerne gearriveerd met de eerste de beste reismogelijkheid na 7:00 uur, deden de kersverse dienstplichtigen op de eerste dag in militaire dienst een aaneenschakeling van nieuwe en vaak vreemde indrukken op. Het militaire leven week immers behoorlijk af van wat de jongelingen tot dan toe gewend waren geweest. Voor de meesten was de overgang van het bestaan als scholier naar dat als soldaat groot. Tot de karakteristieke 'rituelen' die het begin van de militaire dienst markeerden, behoorde de uitreiking van de persoonlijke stan-daarduitrusting (PSU) en de controle op de volledigheid daarvan.

LICHAMELIJKE OEFENING

Ook in vredestijd wordt strijd geleverd: onder militairen wordt in competitie-verband gestreden op de onderdelen schietvaardigheid, snelheid en uithoudingsvermogen. Zo kenden pantserinfanteristen de wedstrijden om de Generaal-Bartels-Beker, waaraan parate bataljons van het Eerste Legerkorps deelnamen. Tijdens de twee weken durende vaardigheidstests werden ook deelprijzen toegekend, zoals de Prins-Bernhard-Trophee, de Zilveren Gevechtslaars, de Zilveren YPR en de Antitankbeker. Het waren behoorlijk zware beproevingen. In het bijzonder het onderdeel hindernisbaan was niet voor watjes.

• FOTO: HENNIE KEERIS (DVMvD)

KLEDING

De terminologie ten spijt heeft het dragen van uniformen binnen de krijgs-macht niet altijd garant gestaan voor eenduidige kledingvoorschriften. Doordat er verschillende tenues bestonden, waarvan de onderdelen bovendien lange tijd konden worden gecombineerd, waren zelfs beroepsmilitairen het spoor soms bijster bij het kiezen van de juiste kledij. Een nieuw kledingvoor-schrift maakte begin 1992 een einde aan deze onoverzichtelijkheid en wildgroei. De militair in het midden van deze slapstickachtig geënsceneerde foto maakt het met zijn slordige tenue wel erg bont. Zijn brave collega rechts heeft het gelukkig beter begrepen. De foto verscheen in de *Defensiekrant* van 19 december 1991 bij een bericht over het nieuwe kledingvoorschrift.

In een op een *wet T-shirt party* gelijkende ambiance vieren militaire deelnemers aan de Vierdaagse van Nijmegen met een biertje de voltooiing van weer een zware etappe. Al eerder tijdens het evenement, in de vroege ochtend van de openingsdag op 21 juli, raakten de deelnemers doorweekt ten gevolge van een hevige onweersbui. Dankzij de grote hitte droogden de wandelaars echter snel weer op en liepen ze bij onvoldoende vochtinname zelfs de kans uit te drogen. Het uitvalpercentage was tijdens deze tropische editie van de Vierdaagse met tien procent dan ook hoger dan in voorgaande jaren.

WACHTLOPEN EN AARDAPPELJASSEN: SOLDATENLEVEN   • FOTO: AB BAAK (AVDKL)

LEEFOMSTANDIGHEDEN

HARSKAMP, NOVEMBER 1992

Maatschappelijke veranderingen manifesteerden zich vroeg of laat ook binnen de kazernemuren. De landmacht was immers geen eiland. Hoewel ook in de jaren negentig het leven in legergroen zich in vergelijking met de buitenwereld nog steeds tamelijk gedisciplineerd voltrok, konden de dienstplichtigen zich vrijheden veroorloven die in het verleden ondenkbaar waren geweest. De bijgaande foto toont er minstens twee: de draagbare stereo op de kast, die vroeger, als hij toen al had bestaan, niet op de goedkeuring van het kader had kunnen rekenen. Opmerkelijker is echter de zogeheten 'pornolat', waar foto's van minimaal of niet geklede dames een plaats vonden. Het mogen ophangen van dergelijke plaatjes was een van de verworvenheden van de jaren zeventig.

ONTSPANNING

Waar in de jaren vijftig en zestig schaakspel en ganzenbord voor ontspanning zorgden, verschenen in later jaren de flipperkast en het tafelvoetbalspel; in het geval van de foto gesitueerd in het Protestants Militair Tehuis (PMT) bij de Legerplaats Langemannshof. Dit beeld van Nederlandse dienstplichtigen in Duitsland stond in 1993 op het punt van verdwijnen. De opschorting van de opkomstplicht was reeds aangekondigd, terwijl na afloop van de Koude Oorlog ook het nut van de legering van landmachteenheden op Duits grondgebied steeds meer ter discussie was komen te staan. Voor de dienstplichtigen op de foto waren die politieke overwegingen van weinig betekenis: hun diensttijd had al een aanvang genomen en tijdens hun vrije uren in het PMT vermaakten ze zich in elk geval best.

OPSCHORTING OPKOMSTPLICHT

Na de 'val van de Muur' in 1989 en de daarop volgende ontspanning in Europa werden de geluiden vanuit politiek en samenleving om de militaire dienstplicht af te schaffen steeds sterker. Nadat de zogeheten Commissie-Meijer eerst nog had aangeraden de dienstplicht in stand te houden, koos de regering er begin 1993 toch voor de opkomstplicht op te schorten, en wel per 1 januari 1997. De militaire vakbonden ANVM en VVDM, die deze overgangstermijn te lang vonden, organiseerden een aantal protestbijeenkomsten en betogingen om de beëindiging van de dienstplicht te bespoedigen, zoals hier op het Plein in Den Haag onder de leus 'Vakbond eist massaontslag'.

• FOTO: RENÉ VAN BAKEL (DVMvD)

OPSCHORTING OPKOMSTPLICHT

Het ging allemaal iets sneller dan verwacht; hoewel het einde van de opkomstplicht op 1 januari 1997 was bepaald, verliepen de hervormingen binnen de krijgsmacht dermate voorspoedig dat de laatste dienstplichtigen al op 22 augustus 1996 tijdens een ceremonie op de Trip van Zoutlandtkazerne werden uitgezwaaid. Een van de eregasten was de oudste nog levende ex-dienstplichtige: de 101-jarige J. van den Berg. Zijn aanwezigheid gaf aan dat de landmacht met enige weemoed afscheid nam van een oud en vertrouwd instituut. De laatste dienstplichtigen zaten daar niet mee. Zij waren blij dat ze naar de burgermaatschappij konden terugkeren. Of had een van hen wellicht bijgetekend om als beroepsmilitair verder te gaan? De landmacht ging hoe dan ook verder met louter vrijwilligers in de gelederen.

Colofon

Samenstelling en teksten:
Okke Groot
Inleiding en eindredactie:
Dr. Ben Schoenmaker

Adviezen:
Dr. Petra Groen
Drs. Joep van Hoof
Drs. Herman Rozenbeek
Drs. Michael van der Zee

Ontwerp en opmaak:
Frank de Wit

Uitgave:
Uitgeverij Waanders i.s.m.
Nederlands Instituut voor
Militaire Historie

ISBN 978 90 400 7789 0
NUR 689

www.waanders.nl
www.nimh.nl

Gebruikte afkortingen
illustratieverantwoordingen:

AVDKL: Audiovisuele Dienst
Koninklijke Landmacht
AVDKM: Audiovisuele Dienst
Koninklijke Marine
DLC: Dienst voor Legercontacten
DVMvD: Directie Voorlichting
Ministerie van Defensie
FADee: Foto Afdeling Vliegbasis
Deelen
FAI: Fotodienst Artillerie-
Inrichtingen
FFDYB: Foto- en Filmdienst
Vliegbasis Ypenburg
FRG: Fotodienst Regiment
Genietroepen
FTDLVA: Foto Technische Dienst
Luchtvaartafdeeling
LFFD: Leger Film- en Fotodienst
LVD: Leger Voorlichtingsdienst
MLD: Marine Luchtvaart Dienst
NGIB: Netherlands Government
Information Bureau
PFDST: Pers- en Fotodienst
Stoottroepen
TB: Topografisch Bureau